JN102264

新装版
〈随筆集〉日本人と外国語

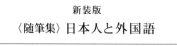

新装版

随筆集
日本人と外国語

一般財団法人
語学教育研究所●編

開拓社

目　　次

外国文化の吸収と外国語

福 原 麟 太 郎

このごろ，テレビの英語学習放送をきいていてふと気がついて，つくづく考えたことは外国語というものの位置がかわって来ているのではないかということであった。

ちょっとした印象なのだが，おそらく教え方にものものしさがあったというのでもあろうか。外国語はまづ第一に便利のために習うのだから，もっとお手軽でいいのではないか。

それに英語が一ばん利用価値が多いには相違ないが，どこの国語でも知っていて，必要なときの間に合えばよい，向うで使うことば，こっちで使うことば，ともにその時のはづみでどこの国の言葉でも口に浮ぶというのが面白い，という時代になっているのではないか，というようなことであったろう。

用事を足す言葉には必ずその意味があり，意味には必ずその背景として風俗習慣がついていて，それがその意味をその国語特有に修飾しまた限定している。だから言葉を教わるということは，風俗習慣といっしょにその国情を教わるということになり，そこに外国語の教養的意義があるのだが，当座に必要なことは，国情などではなくて，いわば，その実用にもっとも即した意味なのである。背景を離れた意味だけを取り出すわけには

いかないけれども，論理的には，意味だけが必要なのである。

　その必要な意味をつかまえるのが，外国文化を吸収する第一歩である。外国文化吸収ということがわが国の外国語教育の元来の主目的であったが，そういう点でもう一度外国語の存在価値を考え直してみる気に私はなったのである。

　われわれ，ことに英語の教師は言葉の含蓄を重んじて，英語のあらわす人情風俗をよく理解し，その用法を誤らないよう万全に心をつかう。それでも決して十分ではないけれど，背後にある国情，あるいはその風土，民族，歴史の反映としての言葉をとらえようとするから，何かと慎重になるのだが，それより前に，われわれの眼前の必要は，ドッグは犬だというだけのことなのだ。言葉ばかりではない。外国から入って来る文学・科学・芸能すべてについても同じことが言えるのではないか，という考えである。それが恐らく現代の当座の必要事なのだ。昔もそうであったろうと思う。明治の始めには，オランダでもメリケンでもオロシヤでも，入船ごとにみんな新しい事物をもたらした。どれがどこの国のものでもかまわない。到来するものはすべて文明開化の道具であった。早速拝借してともかく日本を進歩開発しなければならない。ドッグは犬だとわかれば，それでありがたかった。明治というのは大体そういう時代であったろうと思う。もちろん細かに観察すれば，そのうち，事情に応じて諸物がいろいろに発達し，各部門が専門化し独立し，渡ってくる各国文化が区別され，それに対するわれわれの反応や

利用度や嗜好も変って来たろうけれども，例えば，文学で言えば，明治も半ばを過ぎると，ドイツ文学，フランス文学，イギリス文学などという専門にわかれ，各国のおのおのの言葉で読まれ，異なる度合と用途に吸収されるに至ったろうけれども，明治時代の大体は，英訳を通じて，ダンテでもトルストイでも，モーパッサンでも読んでいた。ドイツ語は学問語として研究され学習されていたから，明治人も『ファウスト』や『ウェルテルの悲しみ』などはドイツ語で読んだかも知れない。しかし明治のいわゆる「大陸文学」というのは英語文学であった。

　「言葉そのものが，その国の文学であって，言葉の中には国民性や風土や習慣が含まれているから，ある国の言葉をつかえば，その国ぶりになってしまう」という考え方をそのころはしなかった。例えば英語に訳したゾラは英国風のゾラにいくらか変貌しているなどと考えなかったから，英語で読んでもかまわなかったのである。それは，本当には専門家がいなかったということになる。文学はその言葉からして読みわけなければいけないということを考えたのは大正の時代の人々である。

　だから大正となると，「それは私の専門でないからよく知りませんが」という遁辞がしきりに出てくるようになり，明治時代のごとく，何語でもかまわない，ともかくも『ドン・キホーテ』の話の内容を，原作のまま伝えてくれる本なら，英語でも仏語でも問うところにあらずというようなことが本筋でなくなり，みんなが自分の専門にとじこもる。西欧の新文明になら何

にでもとびつくということを「専門家」はしなくなった。私ども英語教師の立場でいうと，英語という言葉そのものを通じてわれわれは英国文化を教えているのだという文化主義あるいは教養主義が確立した。これは，英語教師は英語という道具のつかい方を授けている熟練工にすぎないのではないぞ，われわれは英国文化を教える教育者なのだぞ，という矜恃を生んだ。私などもそういう風に育てられた。と同時に，それはフランスのことはフランスの専門家に聞けという態度をわれわれにとらせた。要するに学問の細分化，専門化，分立割拠で，狭い穴を掘ってみんながその中へ逃げ込んでいたという印象である。それは新文化に対する好奇心を衰えさせたかの感があったが，実は新文化の余りに多岐な輸入，従って専門家は自分の部門だけで忙殺されるという事実，などから来るもので，必ずしも好奇心の亡失ではなかったろう。

そして日本もずいぶん文明国になって来て，例えば外国留学生が，誤ってフィンガー・ボウルの水を飲んだというようなことはもう大正時代には無くなっていた。この西欧のますます身近な接近と文化の専門化ということが大正時代を特徴づける。

実際，われわれが丸善を通してみるヨーロッパの急速な接近は驚くべきものであった。大正5年（1916年）にショーやハーディやコンラッドは新文学として迎えられたが，それは20年ないし10年前の英国の新文学であった。大正15年（すなわち昭和元年，1926年）には，もう5年前くらいの新英文学が日本で読

まれていた。その年私自身ロバート・リンドやミルンの随筆の訳注をしている。昭和に入っては更に速度が早まり，われわれが半年前に出版された新刊書を手にしていることは珍しくなくなり，やがて『タイムズ文芸附録』が発行後凡そ二ヵ月を経てわれわれの手許へ到着すると，その中で書評されている新刊書がもう丸善へゆくとその陳列棚にならんでいるというに至って太平洋戦争が起ったのであった。

　そして戦争前後凡そ5，6年のことが，しばらくは，さっぱりわからなくなって，こまっているうち，次第に報道が入るようになり，やがて航空機や放送技術の発達で，昨日のことが今日，今日のことが今日伝えられることになったのだから，事態は急変である。それに新しい文化は各国に起っている。つまりどこでも同じ時間と場所と事件とが重なりあって，世界中がいきなり一つのルツボになってしまったのである。それをとにかく，どこの国の人も，一応身辺でさばいてゆかなくてはならない。専門家というものは，いかなる時代にもいかなる場所ででも，いかなる事柄についても必要であることは大正以来甚だ明らかになったのであるが，今日のこの事態に接しては，益々その要が痛感される。見当のつかない新奇な事柄や考え方が，これは何々の専門家のものという前触れなしに，しかも結局は専門家の手にかけざるを得ないような事柄や考え方がつぎつぎと発生する。そこで今日の専門家は大正のころのように自分の専門と称するものの上にあぐらをかいて泰然としてばかりはいら

れない。あらゆる新事態に目を注いでいることが必要である。その点明治のしろうとと同じ探求力と好奇心とを肝要としてきた。外国文学なども，英文学の人は英語の表現の深奥に徹し，その国情の理解に努めると同時にギリシャからガーナに至る新文化活動の全貌に注意している必要がある。ここのところがこの文章のまっさきに，外国語の位置が今はかわって来ているのではないかと考えた要点である。

　そうなると，そこに山があるから登るのだという勇気が望ましく，その原理が支配的になってくるのではあるまいか。何か新しいものがある。（古い物についても同様である。）それは新しい意味を持っているらしい，というとき，それを直ぐつかまえて，いち早くさばいてしまう，または自分の生活の中にくり入れてしまう，つまり，その意味を消化してゆく。その力をたくさん持っている人々が現代人なのである。そういう国民が優秀な国民なのであるまいか。専門家も，そういう基盤の上に立って，はじめて自分の専門の学芸技術を進めることが可能になるのだと言えそうである。英語をイギリスの言葉として本当に学ぶためには，やはり，われわれの大正的方法が本当で正直であると思う。しかし，何でもかまわない，そこにある外国のものをさばいてゆくのには，ドッグは犬だ，と英語でよければ英語，フランス語が便利ならフランス語を読めばよいので，何も遠慮はいらないのである。便利のための道具なのだ。ともかく早く意味がわかればいい。そうなれば，外国語など，こちらも

気軽に使ってすむことである。何もこんなに手間をかけ，勿体ぶって教えるに及ばないと実は私は思ったのであった。

「実は」，「実は」と言うのもおかしいが，日本は今やそのくらいの文明国になったのではあるまいか，と「実は」私はそのときふと思ったのである。外国語のことはその発端にすぎない。西欧から来たあらゆる文学，科学，芸能を，まるで貴賓のように大切に扱い，恰も模範国から来たように三拝九拝する習慣が明治以来ある。そして大正の専門家たちは，めいめいその筋のものをわが田へ引いてその功徳をたたえたけれども，われわれの文化生活の中の必要品として，目の前にあらわれた新しい意味ある山なら，遠慮なく，とりあえず登ってみてもよいではないか。つまりわれわれはまだ後進国的劣等意識を持ち，大正的専門家の臆病の跡を残しているらしい。だから外国のことばというと，こんなに勿体ながり，利用するのを億劫がるのである。そういうことを「実は」私はひそかに思ったのである。とりあえず必要なのは，そのものの実用的意味なのだ。道具なのだ。どうしてわれわれはおずおずとして外国文化を拝んでばかりいるのか。遠慮なく近づいてゆけばよいのではないか。

「実は」そう思った。そしてその当座身辺の用事を足すだけのためには大正的外国語ヨロイ・カブトないしカミシモは滑稽である。そう思えるようでなければ日本人はまだ後進国民なのであると結論した。

この山ひとつ越えることが目下われわれの仕事である。そし

て，とりあえず，その山へ登る工夫をしよう。そして，さて登りかかって発見することは，おそらく，大正の専門家たちが気づいたと同じその背後にある，風土，歴史，民族の存在であろう。われわれはたじろぐ。しかし安んぜよ，今われわれは，それだけの背景を持った文化をも安々と理解し消化する余力を，まだ背後に貯えて持っているのである。古国はよきかな。

この理由を明らかにするには，またもう一つの論文を必要とするが，こっちがこっちも文化の伝統というものを積んで居ればどんな他国の古い基礎のある伝統に生れた文化の山へでも，それによってわれわれは登れる。そしてわれわれを，さらに豊富にし，さらに高貴にする吸収力や理解力を発揮し得，われわれは更に高い文化に進めるのだ。いまわれわれに必要なのは邁進の勇気らしい。自信と，そしてもっと多くの好奇心。

（東京教育大学名誉教授）

語 学 の 効 用

宮 沢 俊 義

　＜語学＞という日本語は言語学とか文法学とかを指すように聞こえるが，実はそうではなく，外国語の研究を意味するのである。＜語学ができる＞というのは，外国語ができる，という意味であり，＜お前の語学はなんだ？＞というのは，お前が学校で第1外国語として学んだのは何語か，という意味である。

　ところで，その語学であるが，わたしは学科のうちでは語学が好きなほうであったし，また，わたしの一生（半生？）をふり返ってみると，そこで語学の占める地位は非常に大きいように思う。

　学科としての語学が好きだったのは，単に外国語が好きだったからではない。語学を通じて外国，とりわけヨーロッパの文化に接するのが好きだったのである。それは今から考えてみても，決してむりではない。数学，物理，化学，地理，博物……といった学科がすべてヨーロッパ文化の所産であったのであるから，それらを教えられた少年の心がそれらの基礎になっているヨーロッパ文化につよく引きつけられたのは当然だろう。

　語学を語学としてどう役に立てようというようなことは，学校時代にはよく考えたことがなかった。友人の中には，たとえ

ば，外交官になるのだからそのために外国語をとくに勉強する，というような方針をもっていた者もいたが，わたしはそういうことを考えたことはなかった。

ところが，大学を出て，法律学の研究を一生の仕事にしようときめてからは，語学は自分の研究のために非常に有用な手段となることになった。現在日本で法律学を研究する上に，外国語の知識が絶対に必要かといえば，決してそうではないが，外国語の知識が非常に役に立つことはたしかである。どう役に立つかといえば，いうまでもなく，そのおかげで外国語の印刷物を読むことができるからである。わたしは，自分の研究の上からは，外国語の文献を読むために比較的にフランス語をいちばん多く利用してきたが，あわせて（ことに戦後は）英語をも多く利用してきた。わたしの今までの学究生活は，それらの外国語の文献を読むことによって，非常に助けられた。

こういう次第だから，わたしにとっての外国語の効用は，主として外国語を読むことにあったので，書いたり，話したりという効用は，そう大したことはなかった。わたしも，外国語の手紙や論文を書くときに外国語を書く知識を使わざるを得ないし，若い頃のヨーロッパ留学以来，話す外国語もしばしば利用したが，それらはわたしの外国語の利用のうちのごく小さい比率を占めるにすぎない。要するに，外国語の本を読むのに役に立ったことが，わたしにとっては語学の最大の効用だったわけである。

ことわるまでもないことだが，これはわたし個人の場合についての話である。わたしのような学究生活をしようとする人には参考になるかもしれないが，そのほかの人にはもちろん大して参考にはなるまい。また，学問の世界でも，国際的交流が今までとは比較にならない程度でさかんになりつつある現在では，読むためだけではなく，さらに話すためにも外国語が，学者にとっても，今までよりもずっと必要になっているだろうと思われる。

　語学の教育はこれからどうあるべきかはむずかしい問題であるが，普通の学校での語学の教育のやり方については，わたしはだいたい次のように考えている。

　一般の学校での外国語の教育では，今までどおり読むことに主眼をおくのが適当である。書くことも必要であるが，それは読むことの一部として，または，読むことを助けるために必要だからである。手紙の書き方の類に重きを置く必要はない。

　話すことには，それほど重きを置く必要はない。外国人と議論をたたかわす機会を全然もちそうにもない者に会話の練習をさせる必要はない。

　聞くことにもそれほど重きを置く必要はない。テレビや映画でしか外国語を耳にする機会をもたない人に，わざわざ外国人の発音を聞かせて練習させるには及ばない。

　一般の教育では，語学の教育は，どこまでも外国語を読む能力を与えることを主とすべきであるというのが，わたしの考え

である。

　ただここでことわっておきたいのは，これはどこまでも普通一般の学校での教育についてである。語学の教育はすべて読むためのものであればいいといっているのではない。たとえば，外国語を専門に研究しようとする人，外国文学を専攻しようとする人，渉外関係の仕事をしようとする人，外交官を志望する人，通訳になろうとする人……など，外国語を特別に必要とする仕事をしようとする人は，それぞれその目的に適合する方法で特に外国語を勉強する必要がある。読むほかに，書いたり，聞いたり，話したりの勉強が必要であることはいうまでもない。聞いたり，話したりについても，英語なら英語の標準語をイギリスで勉強するだけではじゅうぶんではなく，その目的によっては，むしろアメリカ語を研究しなくてはなるまいし，場合によってはさらに ECAFE 英語というようなものも勉強しなくてはならないだろう。

　こういう人たちのために，いろいろな特別な種類の語学教育機関が作られる必要がある。そして，その点では，そこでの語学教育の方法にまだまだ大いに工夫を要するものがあることは，近年多くの人によって指摘されているところである。終戦後日本へはじめて来たアメリカの軍人や若い学者の中で実にりっぱな日本語を話すのを見出して，戦時中のアメリカでの日本語教育方法の優秀さにびっくりした人は多いはずである。

（立教大学教授）

自 然 科 学 と 外 国 語

朝 永 振 一 郎

「自然科学と外国語」ということについてはあまり深く考えたことはないが，漫然と述べてみたい。

自然科学にとって外国語は昔から大切であったが，昔は教科書で勉強することが主であったから外国語は読めさえすれば発音などはどうでもよく，極端にいうと漢文のように返り点などをつけて読んでもよいということであった。そのうちに，日本も学問が進み，こちらも研究を外国に発表するようになったので，書くことが必要になった。こうして戦前までは読むことや書くことができればよかった。ところが最近はそれだけでは不十分で，しゃべること聞くことなどが必要になった。近ごろは飛行機が発達したせいだと思うが，国際的な学会や討論会が非常にふえ，私の専門の物理学のごくせまい範囲においてさえ，この種の会合が年に四，五回もあって，それに全部出ることはできないので，その中から選んで一年に一回または二年に一回出るという状態である。そういう会合へ行ってみると，日本人は大変損をしているという感じを受ける。つまり，言いたいことが言えないし，向うの言うことが分らない。講演などはまずわかるが，討論になるといろいろな人が意見を述べあうわけで，

そこへ日本人がわりこむことはなかなかむずかしい。だから，聞くこと話すこと，それもとっさの間に言いたいことをまとめて言うことができないので損をする。近頃大学を卒業して三，四年たった連中が，相当アメリカやヨーロッパへ行くが，その連中は優秀な人たちであるのに初めの一年位はなかなか力のあることが認められない。かえって，妙な学生を送って来たという印象を向うの人に与える。

アメリカのロチェスター大学と日本の物理学界とはちょっとした特殊な関係があって，毎年日本の物理の学生三，四人にフェローシップをくれる。希望者が多いのでわれわれのがわで詮衡する。専門と同時に語学の方の力も調べるが，読み書く力は優秀でもさっぱりしゃべれないし，聞きとれない学生がある。専門のことがよくできれば，しゃべれなくてもそのうちにはよくできるようになるだろうと思って，専門の方を重視することにしているが，ある時，二人の学生を送ることにした。その中の一人は専門の方が非常によくできたし，英語は読む方も書く方も正確だが話はまるでだめであった。もっともこの学生は日本語もへたで無口であった。もう一人の方は専門の方はやや落ちるが，英語はペラペラ，外人とつきあっていたので，きざな位であった。

その後，ロチェスター大学の教授が日本に来た時，会って話してみると，「一人は相当できるが，もう一人はゼミナールがあっても一言もしゃべらない，わかっているのかどうかもわか

らない。あれでは困る」と言っていたから，私は「いや，あれ
は無口だが，専門の方はなかなかよくできるのだから，もう少
し見ていてくれ」といった。その翌年，今度私の教室の助教授
がアメリカへ行ってその教授に会ってみると，「昨年朝永さん
はああ言ったが，なるほどその通りだ」と言ったという。その
学生は評判がよくなった。

　本当に時間をかけてもらえば，実力も出てくるし，馴れてく
れば自分の意見も発表できるようになるが，討論会などではそ
ういうわけにいかない。ちょっとまってくれと言っている間
に，話はどんどん進んでしまう。だから話をすること，むだ話
をしたり社会的な会話をするだけでなく，自分の言いたいこと
を正確に相手に伝える力がどうしても必要になってくる。

　ところで会話について日本人は大きなハンデキャップを持っ
ている。例えばアメリカなどで他の国，例えば，ドイツ，フラ
ンスから来ている連中は来た当座はどもりどもり言っている
が，二,三ヵ月たつとどんどん思ったことが言えるようになる。
おかしな英語も言うが，ちゃんと言いたいことを相手に伝え
る。一年もいると何の不自由も感じなくなる。日本語とヨーロ
ッパの言葉とは非常にちがうが，ヨーロッパ人同志の言葉は同
じ構造なのでよく分らなくても大体意味は通じる。

*

　私はプリンストン大学の実験室を見せてもらった時に，ヨー
ロッパから来た人が実験していた。何か宇宙線の強さの測定を

していた。その人が説明してくれたのであるが，強さの変化というのを change of intensity という所を *changement* of intensity という。これで意味がわかるのである。これはおそらく自分の国の言葉をそのままおきかえたものであろう。こういう芸当を日本人がやると電話をかける時 if if といったという笑い話になる。日本語と英語では単語それ自身がちがうのみならず，さらに文章の構造が大体さかさまになっている。ラフカディオ・ハーンだったと思うが，日本人は upside down で物を考え，inside out で物を考えると言ったそうだ。日本人の物の考え方は向うから見るとそうなるが，日本人から見ると向うがそうなるので，ひょっと言う時に，英語では後で言うべき単語が先に出て来てしまう。しばらく沈思黙考して頭のなかで単語を並べてから物を言わなければならないので時間がかかる。フランスやドイツの人はそんなことはなく困った時は自分の国の言葉をそのまま言ってもよい。もう一つの例がある。これはあるドイツ系の婦人であるが，アメリカを方々旅行した時の話をして，「あの辺は道が非常に small だ」と言った。すると御主人が small ではなく narrow だと訂正した。これはドイツ語の schmal をそのまま英語にすると，small になるのでそう言ったと思う。これはちょっとおかしいが結構意味は通じていて，電話で if if というのとは違う。それどころか，アメリカでは英語がドイツ式になっているところがあるので，こういうふうにやっていける。日本人は頭の中で単語を並べなおして言

っているが，これでは間に合わないわけで，文章を書く場合とか，講演する場合はまあいいが，討論などをするときはそうはいかない。相手の国の言葉で物を考えるという訓練をしておかないといざという時の間に合わない。私も時々外国に行くが，discussion にはとてもわりこめない。だから大勢わいわい言っている時はだめだから，お茶の時に「さっきこう言っていたようだが，これはこうではないか」というぐあいに，一人対一人の席で何とかお茶をにごす。

＊

日本人にとって，英語の hearing と speaking において不便だということの外に，日本語が自然科学の勉強の上に，いかに不便な言葉であるか，ということを痛切に感じる。日本語の特徴として良いところもあるが，概念的なことを正確に表わすのに日本語には実にあいまいな所がある。文章の構造が論理的なものを取扱うのに不便にできている。昔，我々の先輩たちの頃は，自然科学などは英語で教えていた。これは日本語のいい教科書がなかったためもあったが，我々の時代でもすこし古い数学の先生などは英語と日本語をまぜこぜに使って，定理などは英語で述べたものである。数学の定理を述べるには，日本語はややこしくして，一度や二度読んだのでは分らないものになる。たとえば，簡単な定理の場合でも「$f(x)$ を単調に増加し，連続であり，且つ微分可能な函数であるとせよ」という命題があるとする。この場合，ただ「函数」というだけならいいが，

そこに「xの」と入ると，英語でいうと，"let $f(x)$ be a monotoic increasing, continuous and differentiable function of x," となる。日本語だと，「f を単調に増加し，連続で，微分可能な x の函数」というと，「単調に増加し連続で微分可能な」というのが，x につくのか，「函数」につくのかわからなくなる。それで，x を一番前へもってきて「f を x の単調に増加し連続且つ微分可能な函数とせよ」とすると，「x」と「函数」の間にあまりに長いことばがはいるので，一読では分らない文章になる。「x の単調に」と続けて読むと困るので，「x の」の次にコンマを入れたくなり，ついでに，「f を」の次にもコンマを入れたくなる。この調子で書いていくと，やたらにコンマを入れるようになるから，まことにぎごちない文章になる。英語では，x の後にさらに関係代名詞が来て，もう一ぺん x を修飾したり，或は分詞句をつけて修飾するという芸当もできる。そういう修飾する語を日本語では全部終りの「函数」という語の前へもってこなければならない。忘れた時分に，「函数」というのが一番終りに出てくる。もっとも，ドイツ語でもネーベンザッツになって一番終りに動詞が来たり，分離動詞の接頭語が忘れた時分に長い文章の終りに ad というふうに出てくる。ドイツ人がしゃべっているのを聞いていると，忘れるかなと思っていると，ちゃんと ad とつけている。我々はそうはいかない。だから日本語は非常に不自由である。英語の教科書を直訳するとわけのわからないものになる。だから，文章をば

らばらにして原文に拘泥せず，換骨奪胎以上にして，もとの文章の趣はかわって意味だけを伝える以外に手はない。

　日本人の国際的な学会での発表を見るといかにもはっきりしないことが多い。

　講演では原稿を用意してあるので，文法的には正確な英語の筈であるが，話全体がすっきりしない。一体何を言わんとしているのか，どこがステートメントであって，どこが理由づけであり，どこが条件であるのかはっきりしない印象を受ける。日本語による日本人の考え方が自然科学的な考え方とマッチしていないためであろう。ヨーロッパ語の構造だと，まずステートメントがあって，次にそれを理由づけるものや，それの条件などが次に来るというふうに，構造が理論的な段階を追って非常にはっきりしている。日本語であると，ステートメントがすまないうちに，理由づけや条件がまん中に入ってきたり，修飾文がわりこんだりするという文章の構造である。従ってしまいまで何を言わんとするかがわからないことになる。一つ一つのセンテンスの構造がそうであるのが習性となって，日本人のものの言い方がまとまった論文全体の中でもそういうふうにはっきりしない構造になっていく。その上，日本語には単数と複数の区別もない。集合や概念と個物とを区別することもしない。そういうわけで，日本語と外国語のちがいがひいてはものの考え方のちがいにまでなっている。何となくあいまいな所で満足してしまうくせになっている。

私が高校でドイツ語をならったのは，小田切先生といって哲学を出られた方であった。先生は哲学出なのでその授業はおそろしく理屈ぽいドイツ語の時間であった。普通の若い学生があこがれるのはハイネの詩，ゲーテの作品である。所が小田切先生は「韻文は一切いけない。韻文をやると，ドイツ語のもとの構造がわからなくなる。文学作品はもっと後にすべきだ」というわけで，一部の学生には無味乾燥なドイツ語の時間ということで人気がなかった。その先生は「概念を受ける場合には，女性でも男性でも代名詞 es を使ってよい。個物をさす時には女性なら女性の代名詞でうける」といわれた。ドイツ人とはなんという理屈ぽい人間かと大変感心した。私はドイツへ行き学生や下宿屋のおかみのしゃべっているのを気をつけて聞いていた。ある時食事にヌーデルが出てその話をしている時，「このヌーデルンは大へんおいしい」とか何とか言ったらその返事にはちゃんと複数代名詞でうけて sie sind と言ったので感心したことをおぼえている。なるほど皿に盛られているそうめんは多数本であり，一本のそうめんでもなくそうめんの概念でもない。ふだん日本語的にあいまいに考えているわれわれはこんなときに必ずボロが出る。

＊

　それでは一体どういう教育をしたらいいのであろうか。私の考えるには，しゃべる時にはいちいち日本語から並べかえてやるというのではなく，もう少し直接に英語そのものの形でもの

を考えるということが大事だと思う。そして，しゃべったり聞いたりしているうちにおのずからあいまいでない考えかたの習慣もできてくるだろう。この頃のやり方は昔のようにいちいち翻訳して日本語になおしていくのとはちがってきたそうであるから，その点は結構であるが，あまりそればかりになると，正確に物を読む場合にマイナスの面が出てくるかもしれない。それも徹底すれば，読む場合にいちいち翻訳しないでも正確に理解できるようになるかも知れないが，その辺のかねあいは私にはわからない。専門家の研究を願いたい。

　私はインドに行ったことがある。英国人に習ったインド人は別だが，インドで育ちインドで教育を受けた人たちの英語はアメリカの英語と同じように新しい英語ができているらしく，発音が非常に違うし言いまわし方もアメリカとも，イギリスとも違うようである。またインド独特の言いまわし方も あるらしい。インド固有のことばは色々あるそうだが，その構造は英語に似ているのであろうか，発音はへんでも流暢にしゃべる。インド人の自然科学の考え方，論文の表現の仕方なども違ってはみえない。もっとも違った考え方のものはおそろしく違っていて，何か神秘的な考え方のものもいる。

　「自分は物理をやっているから，自分の学説を聞いてくれ」と，立派なひげなどはやし哲学者のような人が やって 来て 言う。そういう人は神秘的なことを言うので，我々にはわからない。そういう極端に違ったのはいるが，ある点で西洋人の考え

方と違う点は当然であろう。しかし物理学をやっている範囲，ものの表現の仕方などは日本人から見ると，ヨーロッパ人に近いように思われる。それも結局彼らのことばがヨーロッパ語と似た構造のせいではなかろうか。

　まあ，いろいろのことを日本人らしくあまり論理的でなく述べたが，私の話を要約すると，「自然科学をやる者にとって外国語は必要である。そのためには読み書きだけではなく，とっさの間に自分の言いたいことをすぐ言い表わすことができる，ということが必要である。その上に別の面として，外国語の訓練は理論的に明確に考える習慣をつける点で自然科学を学ぶ上に重要である。」これだけにまとめると一分と三十秒ですんでしまったが，それだけの事を四十分にひきのばして話したわけである。

（東京教育大学教授）

語 学 と 生 理 学

1. 経　　　験

私は旧制の中学だったから，5年級というのがあった。英語は
井上リーダーというので習った。

　父がどうしても医学をやらせ度がったが，私はむしろ別のこ
とをやり度かった。それでやっと北里柴三郎先生が医学校を立
てるというので，その学校に入って父にも申訳をしたのだが，
その間にフランス語をかじり，ドイツ語をかじり，医学校では
特に先生達がドイツ語だったからややドイツ語を話したり読ん
だりした。

　ところが生理学を学んで，ロシヤにゆく必要上ロシヤ語をか
じり，外国での生理学会へ行ったものだからスペイン語も少し
かじった。

　さていずれもものにならず，やがて論文を書くのに英語で書
くのがよいことを悟り，専ら英語を勉強したが，数えてみると
身を入れて勉強してから30年，どうしても英語がうまくなら
ぬ。実に英語ほどむづかしい語学はないと，しみじみと思って
いる。同じまづさでも話すより書く方がややよろしいと気がつ
いたのはここ3～4年のことで，そんな英語で文章をかき，そ

れを楽しんで書こうという気がおきたことから自覚したのである。

　英語で生理学の本をかいた。アメリカの友人がよんでくれて，少しイディオムがちがうが，まずよろしいといってくれた。これはくさしたのかも知れぬ。その次にはアメリカの或出版社から手紙を受けとり，日本人の書いた英語の医学論文は文体は正しいが何を書いているやら内容が判らぬ。ところがあなたの書いた論文をよむと，文法はまちがいだらけだが不思議に内容ははっきり判る。この調子で本をかいてみないか，こちらで英語を improve して本に出し度いと申出でをうけ，まずそれはほめられたものと感じた。

　昨年，国際生理学科学会議が日本で行われ，久しく逢い度いと思っていた Gantt 君（アメリカのパヴロフ研究所主宰）に逢ったら，はじめの日に，私から五，六通の手紙をもらっているが，どこで英語を習ったかきき度いという。

　なにききかじりで習ったのですよ。正式に習ったのは中学と高等学校だが，それは正式とも言えまい——と答えると，そうか，どうりでおかしいところもある。然し，あんなダイナミックな英語をかくのは不思議だという。ほめるにことかいて，うまいことをいうと思って唯ききながしたら，4〜5日してから Gantt がまた話しにきた。

　「判ったぞ。君は小説をかくというではないか。」

　「それはそうだが，日本語でかくのだが」

「それだよ。英語をかく時にも大へん影響する。それで君の手紙が一種異様なのが判った。どうだ。英語で小説 を か か ぬ か。」

「英語というと，どんな文章を君はいいというのですか。」

「フォークナーとドス・パソスだよ。」

私はその二人の偉い小説家の名をきいてたまげてしまった。あんな難解な英語がよいというのか。そんなら自分の手紙も難解なのだろう。こちらは英語を知らぬからむやみに難解になるのを混同しているのは，アバタもエクボであろう。

何ぼかいても，正しい，よい英語が書けないで，苦渋の涙をながしている私を，彼は知る由もないのである。母国語というものの恐ろしさに打たれている私を，彼は知らぬのである。

2. 理　　論

母国語が英語でない以上，どんなに英語を勉強しても，決して英語国民以上にうまくはならぬ。そんなことを言って君の勉強が足らぬのだと，いくら叱られても，それは人力の限界であるから，つまり生理学的の本質であるから仕方がない。

母国語の理論は既に生理学では完全に判っている。それは生れてから満9才〜12才までに入った言語は母国語となり得るがそれより年令が進んでから勉強した語学は断じて母国語にならぬ。人間の頭脳（大脳といってもよい）はそう出来ているのである。

この理論は実験的にもきまっている。英語国の父母がフラン

25

ス語とドイツ語の乳母を家においた。5才の男の子が両親の前では立派な英語をしゃべる。フランス人の乳母と話す時は純粋なフランス語，ドイツ人の乳母と話す時は完全なドイツ語をしゃべり，決して混同をしない。

その，14，5才まで同じ生活をつづければ，この子供は三つの母国語を完全に持つことになるし，それはまちがいない事実である。

ところが私共はどうであろう。

私は少くとも小学校を卒業して中学生になった時（それは数え14才の春）はじめて英語を習った。つまり生理学的には既に母国語を習得する時代を完全にすぎてしまってから，はじめて習ったのである。その結果はどうであったか。

それは30年の勉強もまだ小学2年生に及ばぬという結果である。然し反省せねばならぬことは，私が他の人々より頭がにぶい，特に語学の才能なるものがないことによるのではないか，或いは私は生理学という学問が専門で，英語を専門とするのではないからではないか。然し，それには答える。生理学そのものをやる上に英語が死命を制すると信じて学んでも，それはうまくゆかぬのである。

では絶望か。その通りである。絶望である。絶望ではあるがやめるわけにはゆかぬ。それでないと生理学ができぬからである。それでないと私は生理学の dilettante にはなれる，然し専門家にはなれない——ということである。

ではどうしたらよいか。それは，私には駄目であっても，次代の人々にはやる手があるということである。

　それは日本の語学教育を根本的に変えるということである。どう変えるか。判りきったことだ。子供が生れたら日本語は両親が教える。それで勝手な本をよませてやれば，きっと日本語を母国語にしてしまう。

　さて小学校は満4才ではじめ，先生を全部英国，米国人とする。そして理科も数学も課さず，満9才まで語学ばかりにする。勿論直接法で英語として教える。能力はあり，それが子供に適しているのだから，満9才までには完全な母国語となる。

　さて満9才からは学校では英語の教科書をつかい，英語の歌を歌わせる。家では日本語をつかい，日本語の流行歌をいやでも覚えてしまうから，自由に任せればよい。かくて9才をすぎたらそろそろ数学を，理科を，文学を教えはじめる。小学6年を終る頃（満13才）には現在の高等学校が終るまでの学問は凡て入ってしまう。

　そういうことは出来ぬであろうか。同じ金で出来るではないか。同じ文部省で出来るではないか。同じ小学校，中学校で出来るではないか。

　高校，大学の入学試験には国語と英語とは課する必要はない。必要上12才をすぎてからやるフランス語，ドイツ語，ロシヤ語の試験でよい。

　そうなれば，数学や物理学がしっかりやれる。生理学がしっ

かりやれる。

　しかもこれは実行不可能ではない。50年の計画だけで完全に
日本はそうなることはまずまちがいない。

（慶応大学名誉教授）

外 国 に 学 ぶ

石 橋 幸 太 郎

　第2次大戦後の目だった現象の一つは，アジア，アフリカ，南米の諸地方で，幾多の小民族が競って独立したということである。今回にかぎらず，第1次大戦後でも，民族の自決という合い言葉で，殖民地の独立気運が盛りあがってきたが，しかし，それは今日の状況とは，とうてい，比べものにならなかった。アフリカや南米はとにかくとして，アジアは，地理的にも民族的にも，われわれ日本民族に近いだけに，人ごととは思えない。独立後，一応，政治も生活も軌道にのって安全に滑り出している国，さては，独立途上で生みの悩みに苦しんでいる国，統一が成ったかと思うと，たちまち分裂して，派閥の相克で混乱に陥っている国，等々，国によって事情はさまざまである。

　こういう実状を身近かに見るにつけても，およそ百年前，日本が始めて近代国家の仲間入りした当時をわれわれは回想せずにはいられない。とはいうものの，当時の日本と今日のアジア諸民族とは，まったくと言ってよいほど事情が違うことは，改めてことわるまでもない。第一，われわれの国が国際場裡にのり出したときには，その背後に，独立国家としてすでに二千年

に近い歴史をもっていた。そして，その長い歴史は，過剰なまでな民族意識を国民の間に醸成していた。ところが，今日の新興独立国の指導者たちはまず民族意識の自覚と統一から始めねばならない状態である。この骨折りは，明治の先覚者たちの苦労とは質を異にするもので，その困難は想像のほかであろう。第二の相違点は，新興独立国の多くは統一言語をもたないことである。もっとも極端な例はインドであるが，その他の国ぐにでも，二つや三つの異なる言語を常用する国は少なくない。たとえ統一言語があっても，近代科学は言うまでもなく，一般文化を表現するための語彙や構造をもたないために，知識の授受には，やむをえず，英語その他の借り物の文化言語を使用しているところも多いと聞く。こういう困難は，幸いにして，われわれの先人たちは味わわなくてすんだようである。

　しかし，たとえ百年前の日本と今日の新興諸国との間には，上記のような相違があったとしても，西洋の先進国民の眼には，当時の日本人は頭にチョンマゲをのっけて詼舌をしゃべる蛮族にみえ，おそらくは，あわれみと軽蔑の念をもってみられたにちがいないのである。そしてまた，一応の統一言語はもっていたとはいえ，西洋の学問を採り入れるには，語彙も構造も不十分きわまるものであった。洋学事始めは用語の作製から始められねばならなかったわけだ。哲学，科学，化学，物理学など，学問の名からして，今日のような形に落ちつくまでには，迂余曲折のあったことは，周知のごとくである。「ところの」とい

う苦しい言い廻わしで，関係代名詞の代用を思いつくなど，苦心のあとがしのばれる。

　さらにいうならば，統一言語，つまり，一つの日本語があったというけれども，薩摩藩の士と南部藩の士との間では，謡曲の文句を借りなければ用がたせなかったというのでは，異国人同士の話しと何ら選ぶところはないであろう。

　このように考えてくれば，明治当初の日本とアジアの新しい国ぐにとの間に大きな違いがあると思うのは，身のほど知らぬうぬぼれであるかもしれない，と自省される。少なくとも，当時の西洋人の眼には，今のアジアの国ぐにと似たものに見えたに相違ないのである。いや，そういう消極論だけでなく，もっと積極的な見方からしても，両者の類似点は認められよう。つまり，国を始め，国を興そうとする人びとのもつ崇高な気魄である。この気魄は時と処を越えて共通なもので，われわれは，それを明治の人びとの中に，あきらかに看取することができる。

　明治時代は，近代日本の創設時代であった。そして，当時の人びとが手本として選んだのは，西洋諸国のうちでも，とくに，イギリスであった。ドイツ，フランスなどからも，部分的には学ぶところがあったが，しかし，国全体としてのモデルは，未曾有の隆昌期に向っていたイギリス帝国であった。それは，ちょうど，16，7世紀のイギリスがルイ王朝のフランスに学び，18，9世紀のアメリカが母国イギリスに範をとったのと

似た事情である。政治家や学者や実業家は競って洋行して，実地の見聞で智嚢をふくらませて帰国した。そして，その新鮮な知識と経験を活用して，新国家の経営に力をつくした。一方，外国文化を直接摂取する便宜をもたなかった一般民衆は，主として，ことばを通して，それを学んだ。いわゆる英学は，このようにして起こった。

ところが，いつの世でも，後から追うものは，先の者に追いつくことが眼目であるところから，形式の模倣に急なあまり，とかく精神を見落しがちである。よく引き合いに出されることだが，鹿鳴館時代の夜会服の婦人像は，当時の風潮を，もっともよく象徴しているようである。しかし，この盲目的な外国模倣の風潮も，条約改正（1894年）を境として，次第に下火になってくる。しかし「下火になった」のであって，決して消滅したのではない。というのは，何か機会があると，ふたたびパット燃えあがる，潜勢力を蔵しているからである。その最近の例は，戦後のわが社会にみられたアメリカ一辺倒の傾向である。このことについては，あとで，も一度述べる機会がある。

いったい，後進国が先進国の先蹤にならうのは当然のことで，そのこと自体には少しも問題はないのであるが，わが国でみられるように，一世紀を経過した後にもなお機会があれば，同じ盲目的崇拝の雰囲気が澎湃として湧き起こるということに対しては考えてみる必要がある。それは，外国の良さを尊敬し模倣しているうちに，外国のものでさえあれば何でも良いとい

う価値意識の倒錯を生じたためなのか。それとも，われわれ日本人の民族性の中に，事大主義的な付和雷同性が，もともと，巣くっているためなのであろうか。これは大きな問題で簡単には解決しがたいが，そのことは別にしても，こういう二者択一的な問題提起の仕方では，正しい答えは望みがたいであろう。詳論を省いて，結論を言えば，それは両者の相互作用によると考えるのが穏当な答えであろう。われわれの民族性の中には，多くの歴史家が指摘しているとおり，その重要な一面として，融和性ないし協調性がある。この性質がプラスとして働けば，古くは仏教思想や儒教思想を取って自家薬籠中のものとなし，ついで，キリスト教をも包摂して，わが民族性も，いよいよ豊富なものとした。ところが，これが習い性となって，与える他者を無批判に信頼し，与えられたものを無差別に受け容れることになると，軽兆な付和雷同性となってマイナスの面を露呈するわけである。つまり，実体は一つであるが，規正されるかどうかによって現われ方が違ってくるという見方である。

　ここで話の角度を変えて，他に学ぶということの意味を少しく考察してみたいと思う。「まなぶ」の語原にまつまでもなく，まなぶことは，まねることから始まることは，子供の言語習得の状態をみてもわかる。ところが，ただ，まねる段階でも，まねうる能力がなくてはならない。いわんや，単なる機械的模倣の段階を越えて，本格的に学ぶ段階になれば，まず相手を理解する力が必要となる。理解するためには，こちらに，それだけ

の用意がなくてはならない。われわれは自分の能力の範囲内のことしか理解できない。したがって，自分の力相応のことしか学びえないのである。国の方針で欧化主義が奨励されても，一般民衆は，文化の精神でなく，ただ外面的な形式の模倣が精一杯ということになりがちだったのは，このような理由によるものと思われる。外国文化の盲目的模倣ということは，しかしながら，一般民衆の間のことであって，明治文化の基礎を培ってきた先覚者たちは，使命の自覚の上に立つ確乎たる信念をもち，自主的態度を貫いた。英学関係者に範囲を限っても，たとえば，外山正一，岡倉兄弟，内村鑑三，斎藤秀三郎などの名を，われわれは即座にあげることができる。外山正一の『英語教授法』（1897年）は，題名の示すとおり，英語教授に関する小冊子であるが，これは，おそらく，日本人のための英語学習を説いた最初の本であろう。それまで外国製の教科書を無批判に用いていたのを，日本人の立場から改めて検討しなおして，日本人向きの教科書を編纂し，いわゆる正則英語への道を開いた外山の功績は不朽と言ってよい。天心岡倉覚三の雄大な構想が，日本の発展と東洋の覚醒とを目的としていたことは，かれの言動や著書が明らかに示している。天心が，卓越した美術批評家であったうえに，いわば「憂国の志士」としての情熱をもっていたように，弟の由三郎もまた，同じ気魄を内に蔵した勝れた英語・英文学者であり，かねて熱心な英語教育家でもあった。かれは，峻厳な語学訓練を加えると同時に，英語を学ぶの

は，わが民族の発展に貢献するためであることを，つねに強調してやまなかった。また，内村鑑三は，その『外国語の研究』（1899 年）の中の語学学習の心得を説いた部分で次のように述べている。「若し小説を読むを廃して伊太利語を研究せしならば，若し真偽相半する新聞の記事に長時間を費すを止めて英語か独逸語かを学びしならば，日本人は今は如何に進歩せる，如何に識量に富める，如何に常識に富める国民なりしよ，時若し金ならば何故に是を汚瀆の小説海に投ずるぞ，何ぞ是を国家の要に供せんが為に我身の研磨の為に 費 さ ざ る，起てよ，愛国者，虚偽を綴りし政論と『愛国論』と小説とを火に投ぜよ，来て英，仏，独，伊の文を究めよ云々」言辞はやや激しく，かつ，小説に対する偏見はいただきかねるが，国の発展のために外国語を学ぶことに対する熱意のほどは，じゅうぶんに汲みとれる。斎藤秀三郎にいたっては，英文法ならびに英語慣用法の研究において，いたずらに英米人の後塵を拝することなく，日本人の立場から独自の研究を行ない，日本の英学界に一新紀元を画した。かれの英語に対する自信はきわめて強く，外人教師の採用にあたって，自ら，語学の試験をしたほどであったと言う。外国語の教師は，とかく，外人に対して卑下しがちのものであるが，斎藤のこの態度は，もって範とすべしとは言えないにしても，精神の独立という点では学ぶべきものを もっている。

　以上あげた人びとのほかに，たとえば，新渡戸稲造，神田乃

武など，いくらも追加しうるであろう。明治の英学者は，ほとんどすべてが，この「憂国の精神」をもっていた。これが明治精神のいちじるしい特徴であったのである。（昨夜 ＜昭和 40年 8 月 29 日＞も，たまたま，吉田茂氏の「わが外交を語る」という放送を聞いていたら，明治の人は，まず第一に，天下国家のことを考えたということ，および，日本人は外人の前では卑屈になるということを述べていたが，要旨は期せずして，ここに述べたことと一致している。）

　さて，今年は敗戦後 20 年目に当たるというので，ほうぼうの新聞や雑誌に回想録のたぐいが掲載されているが，戦後を回顧して，第一に気づくことは，アメリカ・ブームの現象である。アメリカ・ブーム必ずしも悪くはない。ことに，アメリカを中心とする連合軍に占領され，アメリカの将軍マックアーサーに 7 年間も支配されていたのだから，アメリカに対する関心が国民の間に高まるのに少しも不思議はない。しかし，右といえば，どっと右に傾き，左といえば，またぞろ，どっと左に押しよせる付和雷同性というか野次馬根性というか，そういう自主性喪失の状態は困ったものである。戦後，いち早く，持ちこまれたコーア・カリキュラムの主張は，そのよい例である。アメリカの一部の大学で，一部の学者が主張したことが，日本では，アメリカ全土の思潮であるかのごとく紹介され，教育の理論と実際を一色に塗りつぶす勢を示した時代があった。英語教育界におけるオーラル・アプローチは，これとはちがうが，そ

の実態を明確につかみ，かつ，外国語教育史におけるその位置を見きわめないと，買いかぶりをしたり，過小評価をしたりする恐れがなくはない。同様なことは，新しい言語学説である構造主義や，変換文法ないし生産文法についても言えるであろう。多くの新学説は，伝統的な方法の批判を契機として起こるのが普通であるから，新学説の反対命題である伝統的な理論をじゅうぶんに理解したうえでなければ，新学説の正当な理解はえられない。ここでも，時・空的な透視法の重要性がみられる。

　世に「他山の石」という諺がある。自分の人間を磨いたり，自分の学問を伸ばすためには，つねに他人の主張を謙虚に聞く心がまえをもち，その長所は遠慮なく取り入れるべきである。それは自明のこととする。小論で述べたことは，われわれ外国語の研究や教育に従事する者は，独善・固陋に陥る心配は，まず，ないけれども，ともすれば，自己卑下や過度の外国崇拝のために自己を見失う恐れがある。その点についての，自誡のつもりである。

　　　　　　　　　　　　　　　　　　　　（日本大学教授）

英 語 教 育 の 目 標

中 島 文 雄

　日本の学校教育において英語の学習は，かなり重要な地位を占めている。義務教育の中学校でも英語は実際上必修であるから，日本国民全部が英語を学ぶことになっている。高校生は大学入試の重要科目として英語を勉強しなければならないし，大学生も第一外国語として英語の学習を続けなければならない。就職試験にも英語が課せられるところが多い。このように日本人は，英語を勉強しなければならないのであるが，それが単に目先の入試や就職のためばかりなら無駄な努力をしていると言いたい。何か日本の社会が英語を必要とする本質的な事情があると考えたい。

　歴史を振返ってみると，アメリカの総領事ハリス（Townsend Harris）が日本に来たのが安政3年（1856）で，下田条約が締結されたのが翌安政4年である。この事件は日本の蘭学がおとろえ英学がおこる傾向を決定的にしたものといえよう。事実，西周（1826—1894）や福沢諭吉（1834—1901）は，はじめ蘭学を修めたのに英学に転じた。福沢が慶応義塾を創設したのが慶応2年（1866）で，ここで教えたのは英語であった。この年幕府は海外留学生を許可し，幕府自身が14名の留学生をイギ

リスに派遣した。その中には中村正直（1832—1906），外山正一（1848—1900），菊池大麓（1855—1917）などがあった。すでに新島襄（1843—1890）は，元治元年（1864）にアメリカに渡って Amherst College に学んでおり，明治4年（1871）には神田乃武（1857—1923）や津田梅子（1864—1929）がアメリカに，明治6年（1873）には井上十吉（1862—1929）がイギリスに留学に行っている。

　このような動きは，すでに開国に踏みきった日本としては，当然の勢であった。当時イギリスは世界の大国であってヴィクトリア朝の盛期にあたり，文化さん然たるものがあった。西洋文明の吸収をいそぐ日本がイギリスや同じ系統の文明をもつアメリカに多くのことを学ぼうとしたのに不思議はない。そして英語は西洋文明の扉をひらく鍵であったのである。当時の日本人にとって国家の針路ははっきりしていた。その目標は〔文明開化〕である。この目標に到達するために英語を学ぶのであって，英語自体が目的ではなかった。上の先覚者たちが修めた学問は，英文学や英語学ではなく，福沢は経済学，菊池は数学，井上は採鉱冶金学というように，さまざまであった。そして学問が直接国家の役に立つことが要求され，いわゆる実学が提唱された。英語は英米の文化に対して開かれた窓であり，英語を学ぶことは実学の手段であった。学者が象牙の塔にこもっていられる時勢ではなかったのである。

　明治の先覚者たちは，いずれも英語に堪能であった。菊池や

井上が渡英したのは11才のときで，井上の留学は10年間，神田の渡米は14才のときで留学は8年間，津田梅子に至っては7才から18才までをアメリカで生活した。英語が自然に身についたことは言うまでもない。また日本にあって学問をするにしても，大学の教師に英米人が多く，英書を英語で教えたのであるから，学生の英語力は高度のものであった。そういう人がまた留学して英語の力をみがいたから，英語を自由に話し達意の英文をものする人たちが出て国際的に活躍した。たとえば内村鑑三（1861—1930），新渡戸稲造（1862—1933），岡倉覚三（1862—1913）など。彼らの英文の著述が，未知の国日本を世界に紹介した功績も大きい。

　明治期を通じて，英語に熟達した人々が，日本の文明開化に，西洋の学術の移入に，日本文化の紹介に，大きな貢献をしている。これらの人々の専攻はさまざまであったが，英語によって学問をし教養をつんだという意味で，いずれも英学者であった。この時代は学問をする人の数も少なく，学問の分化も今日のように進んでいなかったから，現在の目で見ると，これらの人々は専門学者というよりも，高度の文化人であり国際人であり，一般民衆の上にぬきんでた少数のエリートであった。彼らは日本の社会で指導的な役割を演じ，また国家の運命についての関心も深かった。明治2年(1869)に版籍奉還が行なわれ封建政治が終って，近代国家としての日本が育って行く。明治の人々にナショナリズムの意識がつよく，これが日清戦争（1894

—5）を経て，日露戦争（1904—5）で高潮に達したのは偶然ではない。英語は実学に奉仕して富国強兵に寄与したといっても，こじつけではないであろう。

こういう情勢が明治から大正になるに及んで変って行く。それは英学がおとろえて，英語や英文学についての学問が，大学の英文科を中心に興ってきたということである。もちろん明治時代にも英語や英文学は研究されたが，それは英学的であったといえよう。明治26年（1893）に発刊された「文学界」という雑誌の同人である島崎藤村，馬場孤蝶，戸川秋骨，平田禿木などは，いずれも英文学で情操を養った人々であるが，今の英文学者とはちがう。坪内逍遙（1859—1935）のシェイクスピアについての学殖はすぐれたものであるが，研究のための研究ではない。夏目漱石（1867—1916）はいっそう英文学者の資格をそなえているが，教壇の人というより創作家である。英語学者としては斎藤秀三郎（1866—1929）がある。*Practical English Grammar*，その他の著述は，高く評価されてよいものであるが，後の英語学から見れば，やはり英学的研究というべきものである。

大正期になると英語や英文学が，それ自体研究の対象になり，明治の英学は英語学と英文学研究とに分化し，英語はもはや実学の手段ではなくなった。これは日本の学界が成長し，大学であらゆる学問が日本語で教授されるようになるとともに，各学問の専門化が進んだ当然の結果である。大学の英文科は，

英語学や英文学の研究者を養成することを目標とするようにな
り，英語英文学に関する欧米の研究書が渉猟され，これを咀嚼
して日本の学界を，欧米の水準にまで高めることに努力が払わ
れた。英語は，これに熟達するよりも，調査や分析の対象とさ
れ，英文学は，これに没入するよりも，解釈や批評の対象とさ
れた。この傾向は学問の進歩につれて強化され，英語英文学の
研究は次第に精緻の度を増していった。

　学問としての英語学や英文学が確立し，これを推進する研究
者が輩出することは，日本の英語英文学界にとっては慶賀すべ
きことではあるが，そこに問題がなくはない。それは英語教育
という立場から見た場合である。日本の英語教師の大半が英文
科出身者であることを思うと，英文科のあり方と英語教育の問
題とは無関係ではありえない。特に第二次世界大戦後，アメリ
カとの交渉が社会のあらゆる面で頻繁になり，英語の運用能力
の必要が感じられ，また中学が義務教育となって子供がみな英
語を学ぶようになったので，英語教育は社会の関心をよぶよう
になった。

　戦後の英語ブームや「役に立つ英語」を求める声には，軽薄
な面のあることは確かであるが，大局から見ると，そこには歴
史の必然性があるといえる。英語ブームは日本ばかりではな
い。自国語に高い誇りをもつフランスでさえ，英語の侵入に識
者は困惑しているようである。これはアメリカが世界の強国と
して，国際社会に重きをなしてきたことの反映で，英語は国際

語になろうとしているのである。それから交通機関の異常な発達につれて地球上の距離が短縮され，各国間の交渉が活溌になり，意思疎通の手段として英語の有用性が痛感されてきたということがある。「役に立つ英語」を求めるのも偶然ではない。そこでわれわれは，日本の英語教育の目標が，何であるか改めて考える必要がある。

　現代は明治の初期と同じように，歴史の大きな変革期にある。そして英語を必要とすることは，両時代に共通であるが，明治維新から百年近く経過した今日，日本の国情や国際的地位が大きく変っている。従って英語に対する態度も当然変ってよいはずである。既述のように明治初期においては，少数のえらばれた人々が，自然な仕方で英語を身につけ，日本の文明開化に貢献した。また明治期を通じて英語は西洋文化吸収の手段であって，書物を読むことを目的とした人々は，「変則」な学び方でもかまわずに，英語をただの符号のように扱って書物を解読した。しかし今日英語を学ぶものは全国民であり，大学生の数も何十万という多数である。これがすべての学科を日本語で学び，英語は英語の時間に学ぶにすぎない。植民地になったことのない日本では，公私の生活がすべて日本語で行なわれる。こういう条件の下で，英語の学習を効果あるものにするためには，英語教授法を考えなければならないであろう。そして英語がただ読めればよいというのでなく，英語による表現力も重視されなければならない。明治時代の一方通行的な英語教育では

役に立たなくなっているのである。

　明治の英学が文明開花のための実学であったのに比べると，今日の英語教育は社会の要求から遠ざかりすぎていると思われる。それは時代の変革を反映していないからで，その原因は，西洋文化吸収の一方通行的習慣が残っていることと，英語教師が英語学や英米文学の研究者になる教育をうけてきた人々であることにある。要するに教養とか研究の立場からのみ英語を見ているので，日本のおかれた新しい環境を自覚していないきらいがある。

　日本は朝鮮戦争後，急速な経済成長をとげ，今や世界の先進工業国の仲間入りをし，低開発国の援助を引受ける地位にのし上っている。ところが日本の国際的発言力は，まことに微弱であり，自主外交ということばはあっても，実体がそわない有様である。このようなアンバランスは，どこに原因があるのであろうか。まず考えられることは，日本語で発言しても国際影響力はよわいということである。どうしても日本人は英語で自分を自由に表現できるようにならなければならない。日本人は英語によわいため，外交，貿易，学問，技術，あらゆる面で大きな損失をうけている。日本人の素質や能力に英語力が加ったとき，日本人の国際競争力が倍加することは明らかである。英語ができれば青年に海外で活躍する機会も容易にあたえられる。また英語によって日本人の欠陥である島国性を克服して，国際性を涵養することも可能であろう。

日本の国際関係は，好むと好まざるとに拘らず，ますます複雑になって行く。この間に処して，何が真のナショナル・インタレストであるか，いかにして平和を守るかを考えるには，国際的視野に立たなければならない。ただ目先の利益をもとめたり，抽象的な平和論を唱えるのは，日本の針路を誤るものである。昔から外来文化を吸収することに慣れた日本人は，国際情勢についても外国の主張に動かされがちで，日本のあり方について自主的に考えることが少ない。英語教育は日本人の目を国際的視野にまで広げることを目標とすべきであろう。明治の英語が文明開化の手段であったのに対し，今日の英語は国際性涵養の手段であるべきである。明治の英語が富国強兵に寄与するところがあったというなら，今日の英語は国際競争力の強化に役立つであろう。そして日本の発言力がませば，日本の念願である世界平和の実現にも，積極的な貢献ができることになる。

　こう考えてくると，日本の英語教育は，英語の運用能力育成を直接の目標にしなければならない。惰性で英語の訳読をつづけてきた態度は改めなければならない。すでに中学校では多少なりともオーラルな教授法が採用されるようになった。しかし高等学校では大学入試の英語問題に牽制されるので，教授法の改革はむづかしいようである。むしろ大学の英語教育が根本的な問題であろう。日本の英語教師の大半は，大学の英文科出身者である。英文科では英語学や英文学についての授業が行なわれるが，これは英語の学習とは全く別のことである。英語の学

習は教養課程ですんでいるはずだと言われるかも知れないが，教養課程の英語も文学作品中心の訳読が主であって，英語の訓練はほとんど行なわれないのが実状である。英語の訓練は中学高校ですませて，大学では教養のため内容のある書物を訳読するのが当然だと反論されるかも知れないが，これは現実無視の議論である。

　現在大学生の英語力は，平均してみれば決して高いものではない。そういう実力を無視して高踏的な授業をしても，英語力の育成には何のプラスにもならない。教養のたしになるというなら，もっと日本語の書物を利用した方が有効であろう。明治時代とちがって，日本語の良書に事欠くことはない。英語の力をつけるためには，教科書の程度をずっと下げて（高校のリーダーについても同じことがいえる），英語の訓練をするのを目的とすべきであろう。読書力もやさしい英文の多読によって，養成すべきで，難解の英文を数行づつ判読するような授業はさけるべきであろう。

　教養課程の英語ばかりでなく，英文科のあり方も一考を要する。新制大学の設立以来，英文科をおく大学が何百もあることになり，全国で英文科の学生はおびただしい数に上っている。一校で毎年何百人という英文科学生をとるところもある。この学生が全部英米文学や英語学を専攻しようとしているとは到底考えられない。彼らの大部分は，現在の社会が英語を要求しているから，英語科というものがあれば，そこに入りたいのであ

ろうが，英語科がないから英文科を志望したにすぎないと思われる。それに対して教師の側は，大学の英文科である以上，大正期に確立した旧制大学のアカデミズムを目標としている。ここに現在の英文科の混乱がある。これを救うためには，英文科を縮少して別に英語科を設けるか，または英米文学コースと英語コースの二本立にするかすればよい。文学コースの方は大学院まで行かなければ研究らしい研究はできないから，大学院進学志望者が主になるであろう。多数の学生は英語コースをとって英語の運用能力を身につけ，国際的視野をもった社会人として就職する。もちろんそれだけの英語力と教養とあれば大学院へ進んで何か学問をするにも有利であろう。英語学などは，そういう人が大学院で学んだらよいと思う。学問は大学院で，それも主として博士課程で修めるというのが新制大学の建前である。

　英語コースを設けるとすれば，どのような科目を教授するかが直ちに問題になるであろう。しかし英語教育の目標が明確になれば，おのずから必要科目がきまってくるであろう。また英語の訓練をどうしてするかも大きな問題である。これには英語の運用力を養うのに適した教材をつくり，テープの録音などを準備して，現在の英語教師でも，その教材やテープを用いれば，学生を訓練することができるようにお膳立をしなければならない。これは大きな仕事であるが，その気になれば出来ることであると思う。　　　　　　　　　　　　（津田塾大学教授）

語学教育のあり方

竹　内　俊　一

　私は学校ではドイツ語を第二外国語として学んだが，学校を
出るとすっかり忘れた。しかし，英語は必要があって，ずっと
使っているだけに，今なお，それで苦労している。そこで自分
の体験から，英語を身につけるには，どういう所に困難がある
のか，またふだん私が見聞している日本人の英語に，どんな共
通の弱点があるか，というようなことについて意見を述べてみ
たい。

　私は岡山県の山の中の中学で英語を習った。この中学に外人
教師は一人もいなかったが，非常にいい日本人の先生に，相当
やかましくきたえられた。それが非常にためになった。それか
ら東京高等商業学校，今の一ツ橋大学に入ったが，この学校も
私にとって幸なことに英語に力を入れていた。当時は立派な先
生が多かったが，中でも，神田乃武という大変立派な先生がお
られた。そこで四年間教わり，それから三菱合資会社に入り，
その翌年に三菱商事会社ができて，そこへ移った。商事会社が
できて，直ちに外国貿易が盛んになったわけではないが，外国
貿易をするためにできた会社であったから，外人に接すること
や英語を読んだり，書かされたりする機会が割合に多かった。

そのうちに，二十五の時に，ロンドンへ行き，三十三になるまで八年間そこにいた。いっていた人は，ほかの会社にもたくさんあった。ことに貿易方面には多かったが，私にとって幸だったことは，私の会社には日本人が少なくてイギリス人の社員が非常に多く，私が行くとすぐ，三，四人のイギリス人の部下をつけられて一つの小さな係長になったので，毎日英語で話をしないと，用が足りないことになった。また，これは英米人のくせであるが，なんでも大切な話は，係の主任なり，店の head と話をしないと承知しないので，私は毎日英語を使わざるを得ない立場におかれた。そんなことを八年ばかりして帰り，五年ばかり東京にいて，こんどはアメリカへやられた。初めニューヨークにおり，その後サンフランシスコへ移り，約七年間二つの支店を預ったので，部下のアメリカ人も相当の人数に上った。二，三十人から四，五十人のアメリカ人を使って仕事をした。そうするうちに，戦争の起る一年程前に日本へ帰った。ところが，サンフランシスコで取引上非常に親しくなった会社と三菱との間で共同でこしらえた石油会社があり，それが今の三菱石油であるが，ここへはいれということで，ここへ入れられ現在に至っている。この会社がちょっと変っていて，亡くなられた岩崎小弥太男爵が，将来日本では石油がたくさん使われるであろうが，その全部を製品で輸入していたのでは，とうてい安くていい石油が一般の消費者の手に渡るようにならないから，外国人と提携して，むこうの進んだ技術を入れ，経営の方は日本で預

るということにして，全部平等の建前で，今から二十六年ほど前に，この会社ができた。こういう組織であるため，役員の数もアメリカ人と日本人が半々で，その半分のアメリカ人の重役が全部こちらへ来ているわけではないが，代表者はいつも二，三人来ている。社長は日本人，副社長はアメリカ人ということにして，いっしょに仕事をしている。重役会も毎月一回開き，むこうから来ている人の便宜のために，仕事もほとんど全部英語でやっているというわけである。こんなふうに私は学校を出て今日まで，かなり英語を使って来た。中学の時から数えると五十年，実際に英語を使い出してからでも三十七年ばかりになる。私のこの長い経験から，次のことが言えると思う。

　第一，英語が上達するには，練習をつむことが肝心だ。できれば，英米人に接して，それを使うということが大事である。しかし，誰でもそういう機会に恵まれるわけではないから，それに代る方法をとって補っておかなければならない。一体日本では英語を「学問」として教えているために，あまり役に立たない。これを実用の道具として教えることがわれわれの立場からは好ましい。もちろん，学問として英語をやる人もなければならない。しかし，実社会で英語を使う必要からは，役に立つように教えてもらいたいものである。「役に立つ英語」というのは，「意志の疎通がよくできるような英語」のことである。自分では，本を読んで，英語が相当分っているつもりでも，実際になると，一向相手に通じない。こういう一方交通的な英語

ははなはだ困る。それから，話すだけでなく書くことも必要であるが，書く言葉と話す言葉は，どこの国でも違う。それで，まず話し言葉を身につけて，それから書くことを教えるようにしてもらいたいものである。

　さて話す場合であるが，私自身の経験からいうと，もちろん，発音が第一であるが，アクセントが非常に大切だと思う。l, s, f, v, th，など，なかなかむずかしい。ある医者の話によると，人間の舌を動かす筋肉はたくさんあって，どこの国の人でも，その筋肉を一応持って生れて来ているが，たとえば，v という音を発音するのに必要な筋肉を，こどもの時から，三十，四十になるまで一度も使わないというようなことになるとその筋肉が硬化して，うまく働かなくなるそうであるが，もっともである。私の子供は三つの時にロンドンに行って，六年ばかり幼稚園と小学校，それから次にはアメリカへ行ってハイスクールを少しやった。今でも鮮やかな発音をするが，それは小さい時に教わったからであろうと思う。私自身は l と r の発音で非常な失敗をしたことがあった。また私がロンドンにいる間に非常に有名な英語の先生がロンドンに来たことがある。

　その人が下宿をしている所から，City にある Bank of England へ行こうと思って，地下鉄の駅で，切符を買おうとしてバンク，バンクといくらくりかえしても相手に通ぜず，「イギリス人は，どうも教養が低くて，英語が分らない」と，腹を立てて，あらあらしく，バンクと言ったら，おおバンク，とい

って切符をくれたということである。アクセントをつけたので，正しい a が言えたからであろう。次に，大事なことは intonation である。イギリスとアメリカとでは，大分様子が違っているが，私はいろいろの失敗にこりて，何かうまい勉強法はないかと考えた。実を言うと，私はまちがって一ツ橋へ入ったので，もともと文科の方へ行きたかった。それで，文学書を読んだり，芝居を見るのが大好きだったので，自分の趣味と英語の勉強を一致させようと思った。そのころ，ロンドンでは，小さな小屋で，いい芝居を見せている所が四，五軒あった。そのころは，ロシヤもの，北欧もの，例えば，イプセンなどが非常にはやっていた。また，George Bernard Shaw の芝居など，いつも見られる小屋があった。ここへ，一月に一回は行った。先づ，テキストを手に入れて，全部読んでしまう，読んでから，なるべく前方の席を買い，じっと役者の話すことを聞き，口許を見ていた。イギリスの一かどの役者は発音がよく，正しい英語を使っている。（ミュージックホールなどはめちゃめちゃだが。）また intonation もなんともいえず美しい。これを月に一回か二回見るということを数カ年続けたが，これが非常にためになったと思う。こういうことも，一つの勉強だと思い，その後，ロンドンへ行く人には，よくそれをすすめている。

　外人に分ってもらえる英語を使うのに必要なことは，おっくうがらずに話してみることだと思う。日本で，六年ばかり英語を教えているアメリカ人に，「一体日本人の英語を学ぶ上の欠

点は何か」ときくと，「みな恐れをなして，あまりしゃべらないことだ」という。これは日本人の特色で，長所でもあって，なんでもやる時は立派にやろうと考える。よくアメリカやイギリスでも笑われるが，日本人くらい写真をとるなら一番いいキャメラを持ち，ゴルフをやるなら一流のクラブをもっている人は少ないという。しかし，これは，一面欠点でもある。外国語を学ぶ上には，あまりこの長所を発揮してはいけない。やはり，どしどししゃべってみることが大切だろうと思う。「雄弁は銀で，沈黙は金である」ということがあるが，外国語を学ぶ上には，沈黙は絶対にいけない。銀の方でなければいけないと思う。もう一つ，英語を上達させるために，日本人はなるべく public speaking をやってみることがよいと思う。ふだん，話をしている時は，少し位間違っていても，相手が察して聞いてくれる。ことに，友達ででもあれば，こちらの欠点もすっかりのみこんでくれているからいいが，一般に public speaking となると，相手が多いのでがまんしてくれない。だから public speaking というものによって，自分の英語の力を試してみることが大切ではないかと思う。日本人は public speaking が非常に下手で，日本語でも下手である。私も下手である。これも私の観察だが，英語をうまく話すには，日本語をうまく話すところから始めなければならないと思っている。日本人は人前で話をすることが，はなはだ不得手であるから，まず多くの人を相手に日本語で話をするけいこをした方がよい。多くの人相手

でなくても，相手にわかるように物を言う，自分の意志を的確に表現するという技術を持つことは，やはり英語を学ぶ上に非常に足しになると思う。日本語と英語ほど違っている言葉はない。構造も違っているが，第一日本語ではあまりものごとをはっきり言わない。私は外国生活が長かったので，なるべく to the point に precise に言うことに習慣づけられているためか，日本語で話をしている場合にも，とかくそういう癖が出て，「君はものをはっきり言いすぎていけない」と友だちからたしなめられるが，外国語，英語を学ぶ上には，やはりはっきりものを言うというようにしなければいけない。そのためには，日本語もはっきり言うことを若い時から教えることが大切ではないかと思う。これは，外国語とは関係がないように見えるが，実は大いにあると思う。

　もう一つ大切なことは，listen するということである。日本人は，口が重いと言いながら，しゃべり出したら，人にはしゃべらせないで，一人でしゃべりまくる癖がある。これでは，会話にはならない。一方交通ではなしに二方交通でなくては会話にはならない。相手の云うことを，よくきく習慣をつけなければならない。つまり，よく listen することが speak する力を大いに増すと思う。しかし，日本にいては英語を listen する機会があまりないから，ラジオやテレビや映画を見るのがよいと思う。とにかく listen することがしゃべることに対する一つの足しになる勉強である。要するに，聞く事，話すことの練

習が大事だということになる。

　私の会社の入社試験には，英語を入れてあるが，その答案を調べている人にきいてみると，最近の大学卒業生は言葉を知らない。むずかしい言葉は知っていても簡単な普通の言葉を知らない。これはふだん使う言葉とめったに使わないむずかしい言葉との区別をよく教えてないためではないか。ふだんから，それをよく教えておく必要があると思う。それから，英語の正しい構造を教える必要がある。近ごろ，アメリカでは変な構造の文章を書いたり言ったりする。またピジンイングリシというのがある。これも通じることは通じるが，正確な英語を身につけさせる必要がある。

　次に，外国語を正しく理解し使うには，その国の風俗習慣，物の考え方をよく知る必要がある。私が若いころ芝居を多く見たというのも，そういう目的もあった。今でも文学好きで，時間があれば，イギリスやアメリカの劇や小説を読んでいるが，やはりそういうものを通じて English speaking people の考えていること，表現の仕方を多く学ぶようにするが良いと思う。御承知の通り idiom が時代によって変って来るから，どうしても，現代のものをできるだけ多く読むようにしなければ，それは分らない。そのためには，外国の新聞雑誌を読む必要がある。クラシックを教えることも大変結構である。しかしその中に，現代の表現と大分違ったものがあるということをよく教えてもらいたい。そのためには，苦言になるが，先生もその方面

55

の勉強を続けてほしいものであると思う。私は外国語の先生にはあまり知合はないので分らないが，われわれの実業界の者もふくめて，日本の社会人は勉強が足りないように思う。学校を出て，しばらくは勉強をするが，ある地位，例えば，課長とか部長とかになると，勉強を止めてしまう。大変惜しいことで，ぜひ勉強を続けてもらいたいと思っている。最近は経営の方面では経営ブームといわれるほどであって，実業界では部課長や重役社長までが経営学の勉強をしている。大変結構なことと思う。それに近頃では，先生について，英語の勉強をしている社長級の人々も少なくない。　　　　　　　　　（三菱石油社長）

語 学 へ の 情 熱

桝 井 迪 夫

A. C. Partridge は「英国人はそのスカラシップの方法において‘詳細への熱情’をもつといわれている[*]」と述べた。たしかに今までわれわれの接してきた英語学の業績にはこの詳細への熱情といっていい事実蒐集の熱意と事実探求の精神が顕著に見られる。そしてその詳細な事実探求のなかにわれわれは研究者の誠実な努力とスカラシップの真実を見いだしてきたといえる。このことは英国人の特徴的な学問態度であった。しかもそれは欧米の英語学に影響を及ぼしてきたのであった。『オックスフォード英語大辞典』はその最も代表的な，英語の事実の詳細な記録であろう。英国人は事実の中に思想をみ，抽象の哲学をきらう。それは事実への信頼であり，尊重である。このことを強く感じさせるのは，ことにヴィクトリア朝時代のフィロロジィではなかろうか。この時代に『オックスフォード英語大辞典』が企画され刊行されはじめたのであったし，また初期英語版本刊行会の仕事も行なわれはじめて今日まで継続している。さらに例えば，W.W. Skeat の『英語原辞典』や Chaucer 全

---

[*] *Orthography in Shakespeare and Elizabethan Drama*, 1964, p. 6.

集や *Piers Plowman* の編集・刊行など，英国のフィロロジィの確立を印象づける幾多の偉大な業績がこの時代に現われている。これらはみな，詳細への熱情のあらわれであったと言えないこともない。わがくにの英語学もおそらく，ヴィクトリア朝時代の英語学のスカラシップによって育てられてきたところが多かったのではなかろうか。筆者などは今，それを痛切に感じている。それはまた人文学的なフィロロジィであった。あるいは歴史の中に現在を照らしだすという精神のあらわれでもあった。現在，英文学の分野においてヴィクトリア朝時代の再評価が活発になされつつあるとき，フィロロジィにおいても同様にこの時代の業績の再認識が必要なことのように思われる。ヴィクトリア朝期のフィロロジィには，何よりも詳細な事実への熱情があった。

Skeat の Chaucer 全集を例にとってみても，その Notes と Glossary などは，テクスト編纂をのぞいても，じつに多くの時間と労力と学殖を投入して成った成果であると印象される。それは小綺麗にまとめられたようなしろものでは決してない。Skeat の Notes の恩恵をうけてない研究者はいないけれど，それがいかにしてでき上ったかを考えてみる人は少ないかも知れない。それは当然以上のもののごとく，われわれの前にあるからだ。しかし，その Notes をよむ人は，そこに Skeat の労をいとわない参照，校合，比較や個々の事実の解明にそそがれた正直な努力を見るであろう。あたかも Skeat の書斎の仕

事場の中にいるようにさえ感ずるであろう。われわれはヴィクトリア朝時代のスカラシップの中にいるといってもよい。その Skeat が Notes のどこかで，Chaucer の‘appreciation’はさけてただ言語事実を‘explain’することで満足すると謙虚に書きとめている。この碩学に Chaucer のインタープリテイションができなかったのだと誰も想像する者はいないだろう。むしろ，詩行の理解・解釈を根底としたノーツであったと感ずるであろう。処々にみられる‘casual remarks’は Chaucer を親しく知っていた友人のような感じさえ与える。友人は友人の批評をしないものである。Skeat は Chaucer にそのような親しみをもった。英語の事実を追求するうちに，詩人のことば遣いのすみずみまで知ってきたといってもよい。まさに人文学的というべきであろう。

　筆者がたまたま，Charing Cross の或る古本屋で求めた Skeat 編 *Chaucer: The Minor Poems* 2nd ed. (1896) の中に，署名によって察するに前の所持者の Arthur G. Gregor 氏のものだったらしい新聞の切り抜きがはいっていた。それは 1912年10月 7 日発行の *Daily Mail* 誌の一部で Skeat の逝去を悼んだものである。それを読むと，Skeat が過去 40 年間，「英語の最も偉大な権威」として比類ない地位を占めていたこと，「われわれの最も学識あるフィロロジスト」でその業績の「巨大であった」ことがのべられ，私生活では「最も情深く，最も俗世間から超越した人」だったと記されている。しかもほ

ほえましいのは，ケイムブリッジ大学で自転車にはじめて乗った教授であったことを Skeat みずから思いだして嬉しがっていたという人間的な一面を書きそえていることである。ヴィクトリア朝時代の大人の風格はその切り抜きにある写真の風貌によっても知られるが，またこの記事からもうかがわれる。ヴィクトリア朝期の 'leisure' はこの現代には薬にするほどもない。まったくそうぞうしいかぎりである。もう少しこの碩学のことを話せば，Skeat はジフテリアがもとで聖職にたずさわることを断念し，ケイムブリッジにかえる。クライスト学寮の数学の講師に任命され，ここでえた余暇を全部初期英語の研究にささげたのである。それは Skeat にはスポーツのごとく 'hobby' だったのだ。彼は幸福な時代の幸福な学者であった。

　現代の英国でもおそらくこのようなヴィクトリア朝風な学者は少なくなったことであろう。英国人にはヴィクトリア朝時代はわれわれにおける明治時代のように遠くなったのであろうか。その時代のフィロロジィは昔のよき時代の産物であるのにすぎないのだろうか。

　Chaucer 学においていえば，Skeat の業績は丹念によまれ参照されることなく静かな leisure をエンジョイしているようにみえる。現代はインタープリテイションの時代である。しかも，しばしばヴィクトリア朝時代のスカラシップを無視した新批評主義的なインタープリテイションの傾向が著しい。若い研究者たちも，基礎的な読みの中途でインタープリテイションへ

はしりがちである。Skeat が Notes のあちこちでちらっとおとしている賢い経験のことばなどはアプリーシエイトされようがない。ヴィクトーリアンである Skeat は強いことばをつかわない。彼は静かな声で語っている。仕事の最中にでてくることばである。ノートにはそのようなことがしばしばあるものだ。現代の一部の研究者たちは 'imagery' や 'structure' や 'pattern' や 'symbol' を探しだすのに大童であるようにみえる。Chaucer の研究にもその傾向がはいってきている。この傾向がもしヴィクトリア朝時代のスカラシップと絶縁した 20 世紀的な新しいアプローチとして進められているならば，それは Chaucer 研究にとって不幸なことである。健康なスカラシップはいつもよい伝統の上にうち立てられる。Manly と Rickert の *The Text of the Canterbury Tales* (1940) などはそのよい例である。これは理論やたんなる思考ではない，写本群の事実の詳密な比較・調査の上にでき上った一大成果である。Chaucer 学においていえば，ヴィクトリア朝時代のフィロロジィはこの詩人への尊敬と愛情によってはじめられたのである。それは Chaucer の真実の姿をその言語の詳細の中にも，その多様な表現の中にも見つけてゆこうとする態度であった。このような態度は非科学的だといわれそうな現在の風潮である。しかし，ヴィクトリア朝時代から後も，Chaucer の研究にはヒューマンな関心がもちつづけられてきた。客観的な事実を観察する眼は研究者の心とつながっていた。英文学の作品の

英語を研究の対象とするとき，その作品をつくった詩人，小説家のことを思わずに研究をすすめてゆくことはできない。その英語の詳細な事実に親しむことなしに，借りものの方法をもってわりきることはできない。詩人や小説家はそれを拒絶している。親しむほどにその英語のむずかしさもしだいにほぐれてくる。むずかしい微妙さや曖昧さもなんとなくわかってくるように感じられる。ほんとうの研究はそのようなテクストの親密な理解からはじまるのであろう。ヴィクトリア朝時代のフィロロジィはそのことを教えている。それは経験が英語の研究に大切なことを知らせる。事実を観察する力は経験によって強められる。われわれが言語事実の抽象的な原理を考えたり，英文学の作品のなかの抽象的な思想を考えることは無駄ではないけれど，それだけに心をうばわれると，英語の詳細で複雑な事実を観察し，理解する力が身につかないであろう。詩人，作家の英語を読み，理解してゆくのには非常に苦労がある筈である。詩人，作家もまたわれわれがここでいう 'a passion for details' をもっているかのように，詳細な英語表現の事実を展開している。若し Shakespeare に思想があるとすれば，それは創造された表現の具体的な事実そのものにあるのではないかと思われるほどである。その英語表現にふれてわれわれは Shakespeare の創造的な個性にもせまってゆくことができる。

　しかしそれは Shakespeare の「難しいテクスト」（difficult text）の解明をとおしてである。リヴァプール大学の Simeon

Potter 教授((1898— ）は1964年4月23日発行の「タイムズ文芸附録」の Shakespeare 生誕四百年記念特集号に "Language Gap" という一文を寄稿している。現代と将来とにわたって Shakespeare 理解の上で言語の間隙が生じはしないかという，教授の発想がこの一文をなさしめたようである。これはまさに現代的な発想である。 Potter 教授はテレヴィジョンの影響の強い現代からみて，将来の人たちがエリザベス朝時代の Bankside の聴衆と同じ言語的敏感さを示すかどうかに疑問をいだいている。「難しいテクスト」から「永遠の真理の一端」でも獲得するのはテレヴィジョンによって努力もしないでエンターテインされるのとはわけがちがうと教授は言っている。ヴィクトリア朝時代の代表的なスカラシップ，わけても『オックスフォード英語大辞典』は Shakespeare の語やフレイズの正確な意味をつきとめた。これによって 18—19 世紀の Shakespeare の註釈者とは格段の進歩をなしとげたといえる。今なお『オックスフォード大辞典』の王座はゆるがない。われわれは英文学の難しいテクストに接するごとにこの大辞典の恩恵をうけている。それは英語が難しいのにほかならない。そしてこの大辞典がどうしてつくられたかを多少でも知る人は，幾百という readers がテクストにおいて語やフレイズの一々の詳細な事実を探索したということを想いおこすであろう。英語を母国語とする人たちにおいてさえそうであった。われわれにとって外国語であり，外国文学である英語英文学の理解が容易でないこと

は自明である。われわれ研究者はこの難しい言語の障壁の前に立っている。われわれは一体，どの程度にまでかの伝統的な英語英文学を理解しうるのだろうか。

明治時代 (1867—1912) はいわばヴィクトリア朝時代 (1819—1901)，なかでも ‘mid-Victorian’ の時代にあたるであろう。この時代のわがくにの先覚者たちは作品の中に pattern や symbol は探されなかったかも知れないが，英文学の英語の事実におけるどんな ‘trifle’ にも関心をもって英語のリアリティをとらえようと努力されたようにみえる。しかも精確な読みを心がけられたようにみえる。その学殖はわれわれの誇りとすべき，そういってよいのなら，遺産であろう。われわれはこれを受けつぐだけでなく，より豊かに拡充する努力をしているのだろうか。Potter 教授のいう ‘language gap’ ならざる ‘scholarship’s gap’ がそこにありはしないであろうか。われわれは ‘a passion for details’ によっていわば象徴されるヴィクトリア朝時代のよき伝統によって育てられたのであった。しかし今，その ‘passion’ も過去の情熱になろうとしているかのように思われる。このとき，今は亡き Dorothy Everett 女史がかつて「最もいいものはその詳細にある」と言ったことばが想いおこされる。一体，詳細なる事実はどのようにして最もいいものに構成されるのであろう。その ‘passion’ はどのようにして研究的・学問的にいかされるのであろう。

英語学の未来像を言うことは筆者にはとてもできることでは

ない。しかし自分の育てられてきた土壌に愛着をもつ人間はこの忙しい周囲の騒音にさまたげられながらも土壌を離れることはできない。その土壌に花の種をまかれた人たちの心を思わないわけにはゆかない。英語学の初心はおそらくヴィクトリア朝時代の真の意味での 'scholar' の心であったろう。

　英語学の立っている土壌は英文学であった。或は英文学の英語であったと言ってよい。そこからわれわれの研究が始まったように思われる。そしてその方向は現在，見失われてはいないが激しい潮流に押し流されているかのようだ。しかし T. S. Eliot の 'the ragged rock in the restless waters' ('*The Dry Salvages*') のことばの象徴するように英文学のつづく限り，英語学はいつもそこにあり，英文学の中に汲んでも汲みつくすことのできない詳細な事実をあらたに見いだしてゆくことであろう。　　　　　　　　　　　　　　　（広島大学教授）

古いものと新しいもの

太　田　朗

　60年代の言語学における最大の事件は，いわゆる「変形文法」（Transformational generative grammar）の発達である。これは，19世紀における比較言語学，1920年代以降の構造言語学の発達にも比すべき，言語学史上一転機を画する重要な発展と目されている。

　「変形文法」理論は，それまで支配的であったブルームフィールド以来の構造言語学の考え方の根柢のいくつかをゆさぶる程のものであるだけでなく，哲学や心理学に対しても重要な問題を提供している。すなわち，各言語の体系はそれぞれユニークであって，あらゆる言語に通用する一般的範疇とかルールとかを考えるのは，無駄であるか時期尚早であるというボアス以来の考え方に対し，「変形文法」論者は，あらゆる言語の一般的範疇，性質という考え方を前面に出している。言語学では，役に立つ唯一の一般論は帰納的な一般論であるというブルームフィールド以来の考え方に対し，変形文法論者は，公理からはじまる数学の体系を思わせるような一連のルールを展開する。発話資料を単位に切って，これを分類し記述するという従来の行き方を単なる分類ときめつけて，言語学の任務は，原語民

(native speakcr) が有限な数のルールにより無限の文を作り出し，またこれらの文を了解できる能力を説明することであるという。原語民の言語意識とか直観とかいうものは不確実なものであるという理由でこれを判断の資料とすることを躊躇し，専ら発話とそれに伴なう行動を重視したブルームフィールド以降の大多数のアメリカの言語学者に対し，原語民のもつ直観を説明することこそ言語学の任務であると説く。動物実験に支えられた，刺戟と反応の連鎖とその一般化ということを根柢とする従来の心理学とそれを基盤とする言語学に対し，人間の言語習得は，動物実験では説明できない人間特有の先天的能力を仮定しなければ説明できないとし，言語一般に通用する特徴の研究は，この先天的能力がどう作用するかを知らせる上に役立つと考える。これらはいずれも単に部分的修正といったものではなくて，基本的な考え方に対する批判，変革であり，その影響は西欧諸国だけでなく，ソ連や東欧諸国にも及んでいる。

　私個人にとっては，このような大きな変革を経験するのはこれが二回目である。一回目は十数年前にアメリカにわたって構造言語学に接した時であって，それまでスイート，イエスペルセン，ソシュールなどに親しんで来た私にとっては，概念とか心象とかいう捉え所のないものをできるだけ排除し，分布に頼ろうとするアメリカ流の行き方は新鮮な魅力であり，実際またそれは音素論を中心として多くのことを私に教えてくれた。更に文化人類学，音響音声学，心理学などの隣接科学との関係に

注意を向けさせ，もっぱら文学と語学という結びつきだけを考えていた私の視野を多少なりとも広げてくれたのは，アメリカの言語学に接したお蔭である。しかし今や「変形文法」理論は，10何年間なじんで来た考え方のいくつかに深刻な反省を迫っているわけである。「変形文法」は，ある点において構造言語学以前の伝統的文法の復活であるとか，それは皮相的な見解であって，構造言語学がなければ今日のような「変形文法」は生れなかったであろうとか，いうようなことを論ずるのは，この文章の目的ではない。私がいいたいのは，このような激動期において，新しいものに対する私なりの考えである。

哲学者ホワイトヘッドはその『対話』の中で，次のようなことをいっている。彼がケンブリッジの学生だった 1880 年代，それから 1890 年代にかけて，ニュートンによって築かれた物理学はほぼ完成の域に達し，それは動かないもののように思われていた。所が 1900 年にはそれは崩壊していたのである。この大変革を体験した彼は次のようにいう。「それは私に深刻な影響を及ぼした。私は一度だまされた。もう一度だまされることは決してすまい。アインシュタインは画期的な発見をしたと思われている。私はそれを尊敬し，それに興味をもっているが，同時に懐疑的でもある。ニュートンの場合と同様，アインシュタインについても，その説が決定的，最終的なものであると信ずべき理由はない。危険なのは独断的な考えだ。それは宗教を毒し，科学もまたその毒を免かれない」(*Dialogues of Alfred North*

Whitehead. A Mentor Book. p. 277)。

　規模はホワイトヘッドの場合に比すべくもないが，言語学上の大きな変革を二度経験した私には，彼のこの言葉が身にしみて感じられる。「変形文法」理論が注目すべきすぐれた見解を含んだ理論であることは認めるが，これが決定的，最終的であるかの如く思い込むことは危険である。従来の構造言語学と同じくこれもまた壁につき当るであろう。われわれにとって大切なことは，新しいからという理由だけで信奉したり斥けたりせず，批判的に接するということであろう。このような批判は「変形文法」理論自体の発展にとっても必要であって，それは独断と停頓から変形文法をまもることになる。私がチョムスキーについて感心するのは，1957 年の *Syntactic Structures* と1965 年の *Aspects of the Theory of Syntax* との間に大分変化が見られることで，それは彼自身の進歩と同時に，他の人の批判に耳を傾けていることを物語るものである。

　もう一ついいたいのは，新しい説が旧い説にとってかわる場合，この交替は旧い年が新しい年にかわるように一時に行なわれるものではなくて，相当長い間新旧両説が共存するものであり，そしてそれには，惰性以外に，ある程度理由があるということである。ニュートンの説は，アインシュタインの説にとってかわられたが，しかし宇宙の出来事の中で最大と最小の規模をもつものを除く中間領域については，ニュートンで十分用が足りるといわれている。たとえば弾道学は，ニュートンで十分

であるとされている。アインシュタインが必要とされるのは，光年を単位として測定するような宇宙の出来事とか，速度が光りに匹敵するとか，距離が原子の大きさになった時とかいう，極大，極小の世界についてであるという。言語学，英語学についてもこのことは同様であろう。たとえ変形文法理論(の一部)が他の理論よりすぐれていることが認められるようになった後でも，従来の構造言語学，あるいはそれ以前の伝統文法，更には占星術にたとえられることもある昔ながらの学校文法すら，相当長期間にわたって生き続けるであろう。そしてそれには理由がないわけではない。言語学は色々の目的で研究される。言語の構造，機能を明らかにし，ひいては人間の思考形態を探るという純粋に知ることだけを目的とする場合もあれば，機械翻訳とか機械による情報処理 （information processing） のために言語を研究することもあれば，語学教育のために研究することもあれば，精神病の治療に応用する目的で研究することもある。哲学，文学，論理学，人類学，心理学，伝達工学などの隣接分野で言語の研究が必要なことは勿論である。丁度アインシュタインの説に対するニュートンの説のように，古い説でも目的によってはある程度役に立つであろうし，むしろ目的によっては古い説の方が適当な場合もあるであろう。数学，論理学の影響の強い変形文法では，すべてを形式化し，明言化することを要求し，暗黙のうちに読者の常識にまかせるということを許さない。人間としての常識をもたない機械による翻訳を考える

場合などには，これは必要なことである（もっとも変形文法論者が機械翻訳への応用を考えているというわけではない）。しかし常識をそなえている人間を相手とする語学教育の場合にはこれは無用の長物であることがある。八百屋の店先に電子計算機は必要でない。同様に人工衛星の打上げにそろばんでは間に合わない。批判は，相手の目的が何であるかをよく考えて，その立場からなされなければ意味がないし，色々の目的を考えると，新旧共存にも理由がなくはない。

　日本の英語学界に限って考えると，新説と旧説の共存の可能性は益々大きくなる。歴史家トインビーは，「東と西」の中で，新しい思想，宗教がおこった場合，西洋では，それは古い思想，宗教との間に死活の闘争を展開し，どちらかが相手の息の根を止めるまでは闘争を継続するが，東洋では，新旧は交替するのではなくて，旧の中に新がもう一つ附加され，並列されるだけであるといっている。この見解の妥当性については異論もあるであろうが，日本の英語学界に関する限り，この見解はある程度当てはまるようである。アメリカやヨーロッパでは，新しい説と古い説との間に黒白をはっきりさせようと，激しい論争が行なわれる。日本ではこのような激しい論争というものは余り見られない。どちらにも応分の理屈があるという東洋的智慧のあらわれかも知れない。悪くいえば学問的潔癖性に欠け，よくいえば寛大である。そしていつの間にか，新説は旧説と並んで，「平和的共存」を楽しむことになる。「変形文法」が，従

来の学説と並んでこうした地位を占めるかどうかは未だ分らない。しかし今迄の行き方から判断すると，よかれあしかれ，そうなる可能性が相当あるように思われる。

　「明治百年」という歴史から見れば，以上に述べたことがらは，ほんの断片に過ぎないであろう。しかしそれは私にとって一番切実な現に経験しつつある歴史の断片である。そしてそれは，恐らくわれわれの先人が過去に何回となく経験した出来事と似たパタンを示しているのであろう。

（東京教育大学教授）

神 田 文 典

大 塚 高 信

英学の研究には，何をおいても英語そのものの修練が基礎になると考えていたので，明治初年の人々は，先ず英語の勉強をした。そしていわゆる「リードル」のほかに，英語の規則を知ろうと努めた。英文法の学習である。明治の初めにもっとも広く用いられた学習文典は，文久3年（1863）に出版された俗称「木の葉文典」と呼ばれたものであった。これは開成所から翻刻された *The Elementary Catechisms, English Grammar* で 1850 年に Lindley で出版されたもの，その原本は中浜万次郎がアメリカからもって帰ったものだといわれている。この文法は俗の呼び名で通っていたところから判じても，相当一般化していたらしく，また『言海』や『広日本文典』の文法の原典となっていると，これらの辞典や文典の著者が語っているところからみても，英語の学習以外に日本の文化発展にも相当貢献しているといってよい。

この「木の葉文典」が一般化する前までは，例の Lindley Murray のいろいろな種類の文法がオランダ語に翻訳されていたので，蘭学を通して英文法は学ばれた。この種の文法としていちばん有名なのは天保11年に出た『英文鑑』であろう。こ

れがわが国で使われた英語文典の最初のもの，そして同じ内容のものは，幕末に国内の諸藩から出版されていたようである。「木の葉文典」はこのような群小文典を圧倒して天下に覇をとなえた観がある。幕末から明治の初年のころであった。

　明治の後半から大正年間にかけ，わが国における英文法は，学習文典から学問的文典に関心が向いて，いろいろの文法書が読まれるようになったが，その場合とりあげられた文法書の中には，案外，出版の時期からいうと随分昔のものがあった。たとえば Mätzner の *Englische Grammatik* は安政3年から慶応元年にかけて出版されていたし，Bain の *Higher English Grammar* は文久3年，同じく *English Composition and Rhetoric* は慶応2年，Abbott の *Shakespearian Grammar* は明治2年，Morris の *Historical Outline of English Accidence* は明治5年にすでに出版されている。アメリカでは Whitney の *Lauguage and Study of Lauguage* が慶応3年で，欧米では言語の歴史的研究は明治の初年ころにはすでに幾多の業績となって現われていた。Paul の *Prinzipien der Sprachgeschichte* は明治13年に出版された。Sweet の Anglo-Saxon, Middle English の文法は Paul の *Prinzipien* と同じころから世に出，彼の画期的な *Elementarbuch des gesprochenen Englisch* は明治21年，*New English Grammar* は第一巻が24年，第二巻は31年である。ちょうどこの両巻の中ごろ明治28年に Nesfield の *Idiom, Grammar, Synthesis* のシリー

ズが出ている。学習文典としては，この Nesfield のもの，中でもその第四巻が明治人にはよく読まれたものであった。

しかし，「木の葉文典」から一飛びに Nesfield に移ったのではなかった。この間には，Pinneo の *Primary Grammar of the English Language for Beginners* とか Quackenbos の *First Book of English Grammar*, Brown の *First Lines of English Grammar*, Swinton の *New Lauguage Lessons*; *An Elementary Grammar and Composition* のような教科文典が相ついで日本の書店で飜刻され，それらの飜訳本や注釈本なども，同一書について数種出ている。そしてこれらはみなアメリカの学校で用いられる textbook として書かれたものであったために，日本の学生用としては必ずしも適切でないということを見とって，当時日本の学校で英語を教えていた英米人が日本人のための英文法書を書くようになった。その中でいちばん有名なのが，明治13年から25年まで当時の東京工部大学，文科大学，今の東京大学工学部，文学部で英語を教え，岡倉由三郎，上田万年，斎藤秀三郎などの先生であった J. M. Dixon であった。Dixon の *English Lessons for Japanese Students* は明治19年に出版されている。

工学部で Dixon に教を受けた斎藤秀三郎が英語の 文法 を Dixon の上記の書物以外にどんな書物によって勉強したかはっきりとはわからないけれども，ともかく，日本の学生を相手として英語を教授した経験から割り出して，日本人のための英文

法を書いた最初の日本人だといってよいだろうと思う。明治26年 *English Conversation Grammar,* 29年から39年には *English Language Primers,* 33年ごろに *Practical English Lessons, First Book of English Grammar for Middle Schools* が出ている。

斎藤文法は年を追うて程度の高いものに進んで行ったが，斎藤秀三郎という名が高まるにつれて，上記のような教科文法も中等学校では年とともに人気が加わって来た。しかしそれと並んで中学校で隠然たる勢力をもつようになったのが神田文典であった。

神田文典は最初から文部省の検定教科書としてスタートし，それは恐らく明治32年ころであったであろうと思われる。私はそのオリジナルな版がどんな名前で，いつ発行されたか知らないけれども，明治36年12月の日付のある序文をもち，37年3月8日に文部省の検定に合格した *English Grammar for Beginners* の改訂版，明治37年1月の日付の序文をもち，同じ年の3月23日文部省の検定に合格した *Intermediate English Grammar* の改訂版，明治37年2月の日付の序文をもち，同じ年の4月2日文部省検定済の *Higher English Grammar* には接したことがある。これらは，年代的にみても，斎藤の中学文典と並び行なわれ，年が進むにつれて，斎藤のを凌駕するようになって来た。そして明治43年には，さきの *Beginners* と *Intermediate* を一緒にしたものが No. I . *Higher* が No. II . と

76

なって，その名も *English Grammar* と改めて出，それぞれが大正4年に改訂版となって出ている。筆者などの年輩のものが使用したのは，この最後の版で，大正10年ごろまでは，これが中等学校では圧倒的に多く使用され，いわゆる「神田文典」の俗称で呼ばれるにいたった。

3巻から成る文典と2巻から成る文典との関係は *Beginners* と *Intermediate* が後者の No. I *Higher* が No. II に当たる。すなわち *English Grammar* No. I は *Intermediate* を母体として，*Beginners* の内容を簡約してその Introduction としてつけており，Introduction は読本で断片的に教えて来た文法事項の復習といった形になっている。すなわち9品詞（冠詞を一つの品詞としているので）の種類，文（Sentence）の種類と，文の要素の種類がそこで取扱われているのは，現行の文法と同じである。ただ文の要素として phrase や clause を取扱うのは，その巻の最後の文論に譲って，Introduction のところでは，文の要素が単語だけで示されている。

今の文典ならどの本においても示されている5個の Sentence pattens は明治35年に出版されている Onions の *An Advanced English Grammar* に源を発しているのであろうから，時期的に見ると，斎藤文典にも神田文典にも採用され得たはずだが，これがわが国で一般化したのは大正6年の細江氏の『英文法汎論』によってであった。神田文典には出ていない。

文法の組織立てやその用語は，今の教科書のそれと驚くほど

似ている。今では文法用語としては命名上妥当でない Complement という語も，神田文典がその使用を一般化してしまったため，教科文法用語としては今さらどうにも仕方がないほど影響は甚大である。He grew old の old を Complement というのはその定義に合うが，He died young や He is young の young を Complement と名づけるのは，名称というものは何でもよいとはいえ，適当ではない。Predicative といいたいところだが，こう一般化しては，新しい名称を出して見ても採用される望みはないほどである。

中にはずいぶん新しい見方もある。たとえば，現在や過去の事実に反対のことを仮定していう Subjunctive Past や Past Perfect を 'Special uses of Tenses' として時制の特別用法と説くところは，Jespersen の 'Imaginative Tenses' よりも時期的には早い解決ではないかと思う。しかしこれは No. I のいき方で，No. II になると，いわゆる Subjunctive Present を含めなくてはならないところから Mood の範疇を認め，さきには命令として動詞の root の形を用いるとしたものを Imperative Mood とするばかりか，助動詞を使ったものを Potential Mood とするような古い方法を用いている。これは，No. I の方は学習者の立場を考慮して，用法のある一面に重点をおき，No. II は全体の組織を考えた上の処置であろうから，賛否は人によって違うであろう。

同じころに使われていた斎藤文典が個性的であるためにアク

が強かったのにたいし，神田文法は一般向きで，プレンソーダのような味がする。中学で使う教科文典としては，後者が好まれるようになったのも，ことの性質上当然であるかもしれぬ。

　神田文典と現行の教科文典との違いは，後者が統語的方面により多くの関心がもたれているという点に存すると思われる。神田文典でも，両巻とも Section I が The Parts of Speech, Section II が The Sentence となっているけれども，二つの Section の割合が現行のものと著しく違って，Parts of Speech が中心となって Sentence の方は付加的に扱われている。しかし粗密の違いはあっても，両 Section を合したものは，現行のものと内容的にはさしたる変化はない。これこそほかの言葉でいうと，明治40年ごろから現在までの英語の教科文法は大して変化していないということになる。伝統というものは，抜き得ない力強さがあるとはいえ，間違ったことがいつまでも続くはずはない。とやこういわれながらも，現行の教科文法が大綱において神田文典と変りないということは，60年前の神田文典が，外国人であるわれわれに英語の文法を教えるものとしては，間違ったものでなかったということを物語っていると考えてよいだろう。神田文法の統制力は，この意味では是認され，その影響力は高く評価されなくてはならない。

（甲南大学教授）

道　　遠　　し

池　永　勝　雅

　日本人とは一体どんな国民なんだろうか。真似がうまくて，独創性がない面もある。新しいものばかりを追求して，古いものを少しもかえりみないようでもあり，古いものにこだわっているような保守的な面もある。熱しやすく，さめやすいともいわれる。このように，いろいろの事象をいろいろの角度から観察してみると，日本人とは，相反する二要素に対する自己矛盾になやまされている国民であるようでもあり，それを楽しんでいる国民ででもあるようでもある。

　このことは，語学教育界においてもいえるのではなかろうか。H. E. Palmer が来日し，日本の英語教育界に新風を吹込んでから40年が過ぎている。明治以来の強い伝統の中に，新しい主張を導入することの困難さは，受け入れ準備の不十分な状態では，想像以上のものがあったことは，先人たちが語ることばのはしばしにうかがえることである。「訳読中心」の中に，「口語作業重視」の主張を入れることは容易なことではなかったろう。戦後に新思潮を追求したのとはちがった困難さがあったにちがいない。日本には，「沈黙は雄弁に勝る」思想が案外根強く植え付けられている。ペラペラしゃべるのは軽薄で，黙

して語らないのが重厚で，奥ゆかしくて，それが偉大な人間像を形成していた時代であった。人間だれしも軽くみられたくないのが人情である。その上，悪い島国根性が出て，他人のことにかまわなくてもよいのに，自己のしゃべれない弱点を弁護するために，相手を自己のレベルに引き下げる努力をするのも少なくないのである。ヨーロッパに起こるべくして起こった Palmer の主張は，日本人にとっては借着に過ぎなかったのである。書物を通じての知識だけを求め，海外に直接出かけて求めたり，海外から多数がおしよせてくることのなかった当時において，口頭作業の必要性をとかれても，それを痛切に感じなかったのは当然といわなければならない。当時の語学教師の迷惑そうな顔が浮んでくる。自分のできないことをやれといわれるぐらい厄介なことはない。また，内心では賛成していても，自己の無能さを弁護するためには反対論を唱え，無関心をよそおうよりはしかたがないのである。

それにしても，Palmer の運動を推進し，身をもって実際指導に当たられた先輩諸氏は情熱の士であり，その業績は大きい。Oral method で行なわれている授業を参観すると，人間業ではなく，神業としか思われないほどの驚きで，とてもふつうの人ではできないように思われた。このことが Oral method の泣きどころになろうとは当時は考えなかった。自分もせめて半分ぐらいはやれるだろうぐらいに考えて，闘志を燃やしたが，一般にはそうでないのも不思議である。「日本では，英語の話

せない先生がどうして英語を教えているの？」と単純なアメリカの中学生の質問に，だれが答えられるだろうか。もしもテープがあり，映画があって，当時の授業をフィルムに納め，それが再現できるものなら，そのすばらしさには一言もないであろう。しかも自分の授業のみにくさにあきれるかもしれない。「1分間に50の Pattern Practice を行なうべきだ」といわれても当時の先生方はおどろかなかったであろう。こんな情熱のある優秀な先生を全国到る処に持っていた Palmer はある意味では幸福だったかもしれない。それと同時に，その背後にあって，たゆまぬ努力と自己修養にはげみ，あたるべからざる気魄の先生方を忘れることはできない。苦労を重ねてこそ名人の域に達するものだと思われ，それが名作を作り出すまでの弟子の修業の過程にも似ていて，安易を求める現代の姿とは相当の距離を感じるのである。

このように悲愴とまでに思われる自己研修の土台の上に立たなければ Oral method を実施することは不可能であるとの感を与えたのも事実であろう。「私などのできることではない」というのが落伍していく人々の共通の文句で，ことばの本質からは当然すぎる「話す」ことが教師にとっては最大の抵抗であったのである。ことばを使うことは，本来，空気が動き，水が流れるようなもので，無意識の間に行なわれる人間活動でなければならない。苦痛とかなんとか意識にのぼるべきものではない。英語を話している，英語を教えているというものではな

い。"Relax" の状態で，「授業を enjoy する」というのが語学教授の理想を示したものだろう。ところが，苦痛を感じさせるところに，外国語教授のむずかしさがある。このことは，何も日本に限ったことではなく，外国の連中も同じ悩みを抱いているのであり，「しっかりしろ」といわれているのである。ただ，その悩みを克服すべく立向って行くか，それから逃避しようとするかのちがいである。

　戦後になって，Oral approach が導入されると，われもわれもと先を争そい，堤をきって流れる濁流の勢にもまさり，地上のものすべてを洗い流してしまうような感じを起させた。新しさに魅力を感じ，Oral approach こそ英語の正しい指導法で，これを口にしない者は英語を教えるべからずの恐ろしい勢であった。しかも，Oral apprcach も「英語を教える」ものであることに気が付かないかのようであった。ついには，「Oral approach とは，パッタンプラクティスだ」との珍問答にまで発展し，冬の夜半，古い雨戸をたたく風の音にも似て，寂しさをさそう風情も出てきた。フィリピン，インドと，Oral method の影響を受けた連中が，Oral approach と Oral method でアメリカ人と論争をしていた姿を思い浮べ，日本人とはなんと簡単な国民なんだろうかと思われたのである。

　それにしても，Oral approach に苦しむ期間は少なく，プログラム学習，ＬＬと次々と新しい救いの神が現われて，Oral approach の苦悶から救ってしまったかのようであり，それら

の苦悩を味わうのはこれからである。

　次の新しい妙薬が当分は現われそうもない現状で，そろそろ「何を教え，どう教えるか」を真剣に考えてもよいのではないだろうか。何を教えるかは，時代に即応すべきもの，変化すべきものである。なんとなれば，英語教育は，Palmer はじめ多くの人々がいっているように，技能の教科であるからである。英語を通じて永遠の真理を探究するなどと大言壮語する必要はない。身近かにある「伝達の具」を体得させるのが先決問題である。「日本の発展もすばらしく，日本の商品もすばらしいが，日本人の語学は貧弱だ。ことばが自由になれば貿易はかなり伸びる」とある外人が話したことがある。貿易についてはいろいろの条件があるが，語学が1条件に含まれることは否定できない。

　何を教えるかを考えるといっても，日本人は独自のものを創造するには不慣れであるし，自己卑下と外国尊重に習慣づけられている。これはなにも学問に限ったことではなく，政治外交から，日用品のような小さいものに至るまで横文字に弱いのがこれを証明している。だが，語学教育においては，新しいものを創造する必要はない。ただ，ことばの本質の認識に対して信念を養えばよいのである。いままでは，川面に立つ波頭に気をとられすぎていたので，こんどは底流をさぐればよいのである。

　そうはいうものの，それにはいろんな障害がある。信念はい

84

ろんな形に表現されてくる。すなわち，教科書，設備器材，教員とつぎつぎに問題が挙げられる。

　教科書1つの問題にしても簡単ではない。学習指導要領の内容及び運用に関する問題も検討されなければならない。それが解決したとしても，それに沿う教科書作製に数年はかかる。それがはたして検定に合格するかどうかわからない。合格しても採用されるかどうかわからない。採用されても効果的に教えられるかどうかわからないなどの不確定要素の連続である。しかも効果が現われるのには，また10年以上もかかる。これを「教育は100年の計」というのかしら。

　こう考えてみると気の長い話である。ところが日本人は短気である。中国人のように，水の流れるまま，魚は餌にくいつくまで式にはとてもいきそうもない。加えて，社会状勢は刻々変化し，ますます気がせいてくる。こんなときには，「5年10年で変えるなどと考えないで，2〜30年先に少しは変わるだろうことを期待するとどうだろう」といったアメリカ人のことばが鎮静剤になる。

　こういわれて，日本の現状をふりかえってみると，まんざらでもない。この20年間には多少の変化はある。なんらかの意味において，動いていることは事実である。停滞するよりも動いているのがよい。しかも日本人は優秀な国民である。何かはする国民である。新幹線のスピードアップの時代に，わらじがけで東海道五十三次ときめこむのも，またおつな風情もあるかも

しれない。それでも旅はしているのである。病気で旅ができない
いのはこまるが，そんな症状はいまのところみられない。いた
って健康そうである。みんなで，富士山でも眺め，くも助にも
会いながら，スリル万点で，松並木の街道でお茶でもすすりな
がら京へ上って行こうではないか。　（東京教育大学助教授）

翻 訳 の 歴 史

福 田 陸 太 郎

　まず，明治から昭和にかけて日本でなされた外国文学の翻訳
についての貴重なデータをかかげておこう。去る昭和32年（西
暦1957年）秋に日本で開かれた国際ペン大会を機に，日本ペン
クラブから発行された冊子 *Footprints of Foreign Literature
in Japan* によって詳しいことは知られるが，ここでは大づか
みの傾向をのべるにとどめよう。

　外国文学の翻訳といっても，長短さまざまの作品があるわけ
だが，便宜上，一作品を一点と考えて統計した結果，次のよう
な数字が得られたのである。すなわち，明治元年（1868）から
昭和30年（1955）までの88年間に外国文学から邦訳されたもの
の総点数は31か国の作品で31,201点あり，原作についておもな
国別の点数をあげると，仏—8,716点，ロシア—7,751点，英—
5,508点，独—4,235点の順序となる。

　明治年間の各国別では英作品の訳が最も多く，リットン，ディ
ッケンズ，バイロン，テニソン，ワイルドが多く訳され，明
治の政治小説，ロマン派の詩，耽美小説の流行と呼応 してい
る。特にシェイクスピアの邦訳が103点にものぼり，世界の古
典としての貫録を示している。しかし明治41年（1908）に至っ

て，翻訳点数においてはロシアが第一位に上った。日露戦争に勝った日本は，かえってロシア文学の侵攻を受けることになったと言ってもよい。そしてツルゲニエフ，チェホフ，トルストイ，ゴリキー，アンドレエフ，ドストエフスキー，プーシキンなどが訳され，毎年60ないし70点の邦訳を生み出している。

　英作家としては，大正年間にはイェーツやシング，昭和に入ってからはロレンス，ジョイス，ハックスレーなどが訳出されたが，ロシアの優位はくずれず，第一次大戦後になると，ロシア，仏，英の順序になってしまう。昭和14年に至ってフランスがトップを奪うことになる。そしてモーパッサンを最高として，ユーゴー，ゾラ，ドーデ，ヴェルヌ，ロマン・ロラン，スタンダール，ボードレール，サルトルなどが目立って紹介された。ドイツはゲーテ，ハイネ，シラー，ヘッセ，カロッサ，シュトルムなどの邦訳をもったが，第4位にとどまり，アメリカは第5位であった。そのアメリカはやがて第二次大戦後に至り，翻訳点数の急増を示すことになるのである。

　さて，極めて概括的な話になるけれども，英文学が，明治期の活溌な紹介にもかかわらず，その後，ロシア，フランスにその優位を奪われたのはなぜかを考えてみると，次のようなことが一つの原因としてあげられるのではなかろうか？　英語は日本の学校教育において重要な地位を占めてきた。そして英語英文学を専門に修めた人びとは，需要に答えて，多くは学校の教師となった。教室英語というものは，教える立場からは，殊に

中等学校においては，いわゆる文学研究とは離れる傾向があるし，生徒側から言うと，あまり楽しくない課業となる。特に最近のように，英語が受験に成功するための手段として考えられるときは，尚更英語の学習は楽しみではなくなるだろう。遅刻の罰として英詩を暗誦させられたりすれば，その英詩は，生徒の心に良い印象として残ることはむずかしくなる。

　一方，第二外国語として，余り重要視されて来なかった独，仏語などを専門に修めた人びとは，当該語学の教師としてつとめる就職口が極めて少ないため，いきおい他の仕事，たとえば翻訳などを試みるようになり，従ってすぐれた翻訳者を生み出す結果になったと考えられないだろうか？　教室で教えるよりは，翻訳をする仕事の方が，原語の文学的香気を伝えるための集中的努力を必要とするわけであり，こうして生れた良い邦訳作品が，それらの外国の文学を日本に普及させることを，促進したのだろうと思われる。私たちは英文学の作品より，例えばフランス文学の作品の方が，おもしろいという，漠然とした感じをもっていることを否定できないのではないか？　英語が教室で熱心に教えられ，学ばれるほど，その文学的魅力が減ってゆくという皮肉な現象はなかったであろうか？　これは乱暴な意見かもしれないが，ある一面の真理をうがっていると私には思われる。

　ところで，第二次大戦後はどうであろうか？　一つの新しい事態として，翻訳権問題が出てきた。それまで日本では，翻訳

権を無視して，かなり自由にいろんな外国作品を邦訳していた。翻訳に関する条約を結んでいる国際組織に加盟していなかったからであろう。ところが，終戦直後は紙や活字や技術の不足がはなはだしく，粗製の書物が出まわったが，活字に飢えていた一般の人びとは，喜んで書物を手にとった。外国文学に関しても，長い間文化的交流が絶えていたため，読者は翻訳文学に多大の関心を示した。

しかし版権取得の困難があるため，先ずそういう問題の起らない古典の邦訳を復刊することから手をつけはじめ，ドストエフスキー，トルストイ，ツルゲニエフなどのロシア作家，ボードレール，バルザック，ロマン・ロラン，スタンダール，ジイド，モーパッサンなどの仏作家，ゲーテ，ハイネ，シュトルム，リルケなどの独作家，シェイクスピア，ホイットマンなどの英米作家のものを，出版している。

ベスト・セラーになったものとしては，バルザック『風流滑稽譚』（昭和22年），ラクロ『危険な関係』（同年），ボッカチオ『デカメロン』（昭和23年），モーパッサン『脂肪の塊』（同年），ノーマン・メイラー『裸者と死者』（昭和25年），ロレンス『チャタレー夫人の恋人』（同年）などがあり，セックスの問題に関心が向けられる傾向を示しはじめている。

新しい作品の翻訳は，昭和23年にアメリカから提示された数点の書物の第1回入札で口火を切ったが，グルー著『滞日十年』など3割6分という高率の著作権料を支払うということま

であった。これより先，昭和21年にレマルクの『凱旋門』が翻訳権を無視した出版で物議をかもしたこともあった。正式の手続をふんでなされた翻訳では，ミッチェルの『風と共に去りぬ』が今日に至るまで変らぬ人気を保っているが，ベネディクトの『菊と刀』のような一般教養向の書物がベスト・セラーになったことも注目される。

　昭和22年ごろ京都で出された『世界文学』という雑誌は，サルトルの『水入らず』などを紹介し，日本における実存主義文学のブームのさきがけを作った。昭和25年にはゲオルギウの『二十五時』が出，レジスタンスの文学，行動の文学が話題となり，さらにカフカ，カミュ，ボーヴォワールなどが紹介された。

　こうしてみると，アメリカの文学作品の翻訳は，戦後日本との特殊な政治的関係によって促進されているとはいえ，フランスのものほどはなばなしくないようである。先にのべた傾向が相変らずつづいていると見てよいのではないか？　もちろんヘミングウェイ全集が出たり，フォークナーが意慾的に訳されたり，スタインベック，ヘンリー・ミラー，ノーマン・メイラーなどがつづいて訳されたりし，近ごろは黒人文学が問題にされ，ビートの文学が論ぜられる，というように一応にぎやかではあるが，文学的香気の豊かさという点ではまだヨーロッパの文学に追いついていないようだ。しかし，アメリカ文学の活気と新鮮さは，今後注意すべきものをもっていると思われる。

イギリス文学の方は，シェイクスピアの新訳が出たことなど目立つが，昔のような比重をもたず，現代小説もいくつか邦訳されたが，「怒れる若者たち」など一時盛んに論ぜられたにしても，そう本格的に紹介がつづけられているふうにも見えない。モームやグリーンがよく読まれているけれど，イギリス現代文学の全体から見ると，心細い状態である。ドイツやイタリアやソビエトや中国や，その他の国々の文学作品の翻訳に至っては，微々たるものと言うほかはなさそうである。近ごろパステルナークやショーロホフなど，ノーベル文学賞をめぐって話題となった作家を通じて，ソビエト文学に対する関心が高まっているようだが，一般に社会主義国家の作品は，そう「楽しんで」広く読まれているとも思えない。

　日本という国は，外国の文学傾向には神経過敏なところがあり，前述の実存主義，怒れる若者，ビートの文学からアンチ・ロマン，アンチ・テアトルなどと，新しい話題をいち早く紹介はするけれど，じっくり腰をおちつけた翻訳がなかなか出にくいところである。ジャーナリズムの打算があるために，外国文学の紹介に公正を欠くうらみがある。その一方，安全第一主義で，世界文学全集なるものが，同じような内容で，あちこちから出版されてきたが，最近になって，やや新鮮な企画の見えはじめたことは喜ばしいことである。

　欧米でのノン・フィクション，探偵小説の流行に刺戟されてか，日本でもその方面の翻訳が相当流行していることも，戦後

の目立った現象であろう。だが，ここ数年に至って，日本の現代作家の書くものにおもしろいものがたくさん出はじめ，日本の読者の興味を，外国文学よりも日本文学の方へひきつけるようになってきた。翻訳にもすぐれたもののあることは事実だが，時には読みにくい点もあり，日本人はむしろ日本の作品の傑作にいっそう読書慾をそそられ出したようである。今後外国文学は従来以上の注意と周到な計画にもとづいて翻訳されねばならぬ時代に立ち至っているようである。

　ここでは十分に述べる余裕はないけれど，第二次大戦後，ドナルド・キーン，エドワード・サイデンスティッカー，ハワード・ヒベット，アイヴァン・モリスら，米英の日本文学研究家の手になる日本の作品の英訳が出たのを契機として，諸外国向けの日本文学の翻訳がわが国でも試みはじめられていることは，日本文学が世界の舞台に進出する時代の近いことを感じさせるものであり，今まで外国から日本への一方交通を主としたわが国の翻訳事業が，新らしい展開を見せそうになっていることを最後に注意しておきたい。　　　　（東京教育大学助教授）

詩 と 言 語

西 脇 順 三 郎

Verse と Prose という分け方は昔からあったのであるが，私もこれにしたがって考えて見たい。前者を「韻文」とし後者を「散文」という名称でよぶことにする。ヨーロッパ文学史上からこの問題を考えてみると，世紀の中頃までに，ヨーロッパの重要な詩はみな「韻文」を使わない詩（poem）になってしまった。

韻文というのは特定の韻律の pattern に言葉を無理に入れて作りあげた文のことである。それがために散文における文法的構文法と韻文としての構文法（syntax）と非常な差異をおこすことになる。特に word-order の問題である。しかし韻文の構文法は散文の構文法に基づいているから，前者がどれほど後者からはずれても，自から限度がある。散文の構文法はいつも韻文の構文法を修正していつも一定のバランスを保っている。散文の構文法は「自然」な構文法と考えられていた。そういう意味でフランスの17世紀に主張された「古典主義」はそうした自然の構文法を正しいものと思った。いつも「自然を守れ」というスローガンを出していた。散文的構文法からあまりに遠い構文法を嫌ったのは「古典主義」であった。

ところがローマの詩人ホラーチュウスなどは詩に用いられる
文には散文的構文法を極端に嫌ったのであった。それが一つの
詩人としてのきどりであり，それは機智の詩人の「洒落」であ
った (Gilbert Highet: *Poets in a Landscape*)。そういう風
に，韻文の構文法が普通の構文法と違う理由はそれが韻文の構
成からくる機械的な必然性でもあると同時に詩人が洒落とか諧
謔のために更に極端な不自然な構文法を取ったためでもあっ
た。

　ヨーロッパ人が2000年間愛誦したホラーチュウスの「歌」
(Carmen) の一つについて考えてみよう。それは第5番の歌を
例としてあげてみよう。これは Highet 氏のあげているもので
ある。これはまたミルトンの訳もある。

Auis multâ gracilis te puer in rosâ

Perfurus liquidis urget odoribus

　　　Grato, Pyrra, sub antro ?

　　　　Cui flavam religas comam

Simplex munditie !

　Milton の英訳──

What slender youth, bedewed with liquid odours,

Courts thee on roses in some pleasant cave,

　Pirra ? For whom bind'st thou

　In wreaths thy golden hair

Plain in neatness !

これを語順によってならべてみると

What many slender thee youth on roses

Bedewed liquid courts odours

Grotto, Pyrra, in pleasant?

For whom golden bind'st hair

Plain in neatness!

散文の構文法からみると，この詩の中に用いられている文の構文法はめちゃめちゃに破壊されている。ところがそれが音の世界からみると美しいものと詩人にはきこえる。これは全く洒落た文体として詩的効果を与えているものとされている。マラルメの詩の syntax も普通の構文からはずれているのでそれが近代詩の "Syntactical magic" といわれる。それと同じようなものである。勿論マラルメの場合はホラーチュウスに比較すればまだ通俗的にみえるが，それでも "magic" といわれている。Shakespeare のソネットの中にはマラルメ以上な構文が用いられている。そこに Shakespeare の詩の "wit" があるのである。シェイクスピアの詩術にはそうしたホラーチュウス的ラテン詩の影響がはげしいものであるとも考えられる。

このホラーチュウスの詩を拙訳であるが日本語として訳してみると，

「ピラよ，どんな華奢な青年が流れる香をかけて，快美な洞穴の下で沢山の薔薇の中で君を口説くか。その人のために君は無雑作に質素に黄金の髪を結ぶのだ。」

これをラテン語のままにならべると，

「どんな沢山の華奢な君を青年が薔薇の中で

かけて流れる口説くのか香水を

　　快美な，ピラよ，洞穴の下で？

　　　その人のために君は結ぶのだ髪を

無雑作に質素に」

となるが，実にめちゃめちゃとなりその意味は全く破壊されて
しまう。

　この場合言語としては意味の脈絡が全く乱れてしまうが，そ
の韻律の世界は芸術として完成されるのである。韻律のために
言語としての意味の世界がぎせいになるのである。それで昔か
ら詩に使用される文は結局今日の「わからない詩」であること
はその韻律の関係上当然の結果であるとも言えるのである。要
するに韻文に使用される文はその文意が obscure になるのは
韻文として必然的な結果であるにすぎない。

　また韻文ではシラブルの数や配置が限定されているために言
語が無理に使われている。また韻を合わせる詩形では単語の選
択に非常な制限をうける。これらの理由から詩に用いられる文
の文体（スタイル）が散文で書く場合（文語体でも会話体で
も）の文体とは非常に異なった文体が韻文の文体となってい
る。

　韻文の文体は厳格にいうと散文で書く場合の文語体でもなく
「話し言葉」としての文体でもない。韻文独特な文体が発生す

るのである。昔からいわれているように詩の文には慣用句や文学的慣用語や古語（伝統的な昔ながらの文学語）を出来るだけ避けよといわれている。これは結果から見た一つの逆の言い方にすぎない。それは韻文には慣用句や慣用語が必然的に使いにくくなったからである。

マラルメが「俗衆の言葉に純粋な意味を与えること」と言ったのはそうした韻文に用いる文のスタイルについて言ったことであろう。また今日の大部分の詩人が韻文で詩を作らなくてもそうした韻文時代の文体が詩の文体であると思うようになった。そのスタイルは散文に比していつも obscure であることになった。

シェイクスピアのように機智の詩人は特に '' Brevity is the soul of wit '' ということを信じている。簡潔な文体は機智の一つのひらめきから来る一つの結果である。また韻律に合わせる文章は結局簡潔に書かざるを得ない。そして簡潔は文意を不鮮明にする。意味の簡潔と文体の簡潔とはむしろ正反対の現象を来たす。表現としての言語が簡潔になればなるほど，その文の意味が不鮮明となる。現代の詩人でもそうした簡潔な文体を伝統的に好むから「わからない詩」が発生する。

簡潔に表現しようとすると，抽象的な言葉を多く使うようになり，また言葉と言葉の関連が不鮮明になるからであろう。

また昔から詩の文に大切な表現法は metaphor といわれている。ところがメタフォアというのは直接的表現でないから，そ

の意味が読者にとって不鮮明になる。具象的なものを抽象的なものとして表現し，抽象的なものを具象的なものとして表現するからである。言語としての本来の意味が転用されるためにその象徴力としての意味が不明になるおそれがある。

　詩の世界は imagination の世界である。その imagination という人間の感性はベイコンの定義によると「想像力というのは物質の法則に関係なく，自然が離（はな）したものを自由に結びつけ，また自然が結んだものを離（はな）し得る力である。」この意味で詩はいつも新しい関係を創作することである。これがために詩はいつも超自然（surnaturalisme—ボオドレール）の世界を想像するのである。これがためにまた詩人はいつも自然の関係または通常の関係を破壊しようとする。それがために詩人は二つの言葉を通常の関係で連結しないのが普通である。関係の遠い二つの言葉が連結されるために，その言葉の通常の関係において出来あがっている本来の意味が失われ不明となる。すべて言葉の本来の意味というものは通常または習慣的な関係において成立している。ところが詩人は慣用的な言葉の連結関係を嫌うのである。たとえば通俗的な慣用としては「将棋をさす」といい「碁をうつ」という。けれども詩人はそういう慣用的連結を嫌って「将棋をうつ」とか「碁をさす」と反対にしていいたがる。それよりも「将棋をする」とか「碁をする」といった方がより詩人の好むところであろう。詩人が文学語とか古語を嫌うのはそれらの語句が慣用的にこりかたまっているからである。

詩人が純粋な「文章体」とか「会話体」のスタイルを嫌うのは，それらは全く慣用的であるからである。元来言葉の意味は慣用されて初めて確定されるのである。この点から見ても詩の言葉は不確定であり従って意味が不鮮明になる。マラルメのソネットなどは意識的に不鮮明な詩を書く詩人であった。リチャーヅ氏の詩の解釈学などは詩の言葉というものをあまり追究しなかったために発生した心理学にすぎない。そういうように詩に用いられる文の表現方法が普通の散文に用いられる文の表現方法とは全くその性質が違っている。すなわち言語の使用方法が違っているからである。

次に，19世紀になって，ある詩人たちは音を重じて，詩の世界は音の世界としてのみ見ようとした。言葉によって必然的につくり出される意味の世界よりも，言葉によってつくられる音楽としての世界を詩の本当の価値と考えた。そうなると必然的にその詩の意味の世界は二次的なものとなり，またその意味の世界も不鮮明となる。詩に用いられた文の意味は音の美ということになり，言葉の音が詩の意味となる。こうした詩は感覚の世界にすぎない。だがこれは詩の一つの性格にすぎなく，詩の本当の目的ではない。また詩は言語を表現の材料として用いるけれども，詩は言語ばかりではない。

私に与えられた課題は「言語と詩」ということであって，詩をつくるときに言語はどういう風に用いられているかをのべればそれで私の仕事は終ってしまう。しかし詩はわれわれの脳髄

の中で感じられることであって，言語は詩の世界をつくるとき
に用いられる表現の材料にすぎなく，言語の世界はそく詩の世
界ではない。

　ヴァレリもマラルメも詩をつくるとき音の世界を重んじてい
るから，まず思念よりも言葉とかリズムが先にくる。言葉の音
によって建築家のように一つの詩をつくりあげることである。
こうした詩人からみると私がこの「言語と詩」という課題での
べた以上の意味があると思う。ヴァレリは言う「文学が私を深
く興味づける場合は或る種の変形を意識させる場合である。そ
の変形の中で言語がもっている人を興奮させる性質が重要な役
目をはたす場合である。確かに私は一つの本に興味をおぼえ，
それを幾度も興味をもって読みかえすことが出来るが，しかし
本当に私がその本をうちこんで読み得る場合は，その本の中に
私が一つの思念がそれを表現している言語自身の力と等しい力
があることを発見した場合である。それはそこに用いられてい
る普通の言葉をその昔ながらの伝統的な形態を変えることなく
予期しない結果に変革する力である。それはまた表現に困難な
ものをよくとらえてそれを征服した場合であり，とりわけそれ
はまた，その文の構文法もその調和もその中にある思念も同時
にうまく処理されている場合（これは最大に純粋な詩の問題で
あるが）であって，それは私の考えではわれわれの芸術の最高
な目的である。」この意見は詩をつくる場合言語は大切な こと
であることを強調したものであるから，決して間違ってはいな

いが，しかし一般の読者には誤解されるおそれがある。それは言語自身の力ではない。言語自身の力というようなものはないと思う。言語自身の力といっても言語を使用する人の頭の力でなければならない。言語の力はそれを用いる人の力である。

　この点は「言語と詩」という問題の中で最も重要な問題であって，これを私は最後の言葉としたい。元来言語は人間の社会がつくったもので人間の表現のための一つの記号であって，それは概念と音によって構成されている。それで言語の価値といっても人間がそれを使用する場合に価値が発生するのであるから言語の価値はその使用価値にすぎない。そういう見地から言語と詩というものを考えてみたのであった。

（慶応義塾大学名誉教授）

古典語・外国語の学習と母国語

高　津　春　繁

　西欧ではローマ以来，また日本では中国文化の渡来以来，外国語を習うことが一つの教養の手段とされて来た。古代ローマは紀元前3世紀以来ヘレニズム文化の一環として，その大きな文化圏の内にあって，独自の文化を発達させたが，その際にローマ人はヘレニズム文化の理解のために，ギリシア語を知らなければならなかったことは，日本人が漢文化を取り入れるにあたって，その言葉を学習する必要に迫られたのと全く同じであった。

　かういふ事は，自分よりすぐれた文化を吸収した際にあらゆる民族が行ったところである。アッカド民族はスメルの言語と文字とを学び，取り入れたし，ヒッタイト民族はアッシリアを通じて，スメル・アッカドの文化と共にその言語と文字とを吸収した。そして彼らはこの文化圏に入って行ったのである。

　このやうな古い時代の事情はよく判らないが，ローマ人がギリシア語を習得した様子は，かなりよく知ることが出来る。彼らは帝政時代のロシアの貴族のやうに，家庭教師として子供にギリシア人をつけ，自然とギリシア語を覚えこませた。それだから，ローマ上流の人たちは，殆んど二重言語と言ってもよい

くらいに，ギリシア語を自由にあやつることが出来たらしい。それは Cicero の手紙などを読めば，明らかなことで，この偉大なローマ主義者は私信の中では自在にギリシア語の洒落をとばせてゐる。

中世になっては，ラテン語が西欧の諸民族の古典語となって，ギリシア語に代って，学習の対象となり，ルネサンス以後は，これに再びギリシア語が加わったことは，周知の事実である。こうして近代の古典教育が確立されたのである。日本にあっても，漢文がほぼ同じやうな位置を最近まで占めて来た。ただこの間に違ふのは，西欧では，たとえ死語となっても，ギリシア語やラテン語は生きてゐる言葉と同じやうにして学ばれて来たのに，漢文の方は，中国の生きた言葉からはなれて，日本語化したことと，更にいま一つは，西洋の古典語を学んだ民族の言葉が同じく印欧語族のものであるのに，従ってその構造が互によく似てゐるのに，漢文と日本語との間には，大きな差があることである。日本人が中国の言葉を妙な具合に変へたのは，勿論この外に，漢字が表意文字であったことにも原因しているが，上述の構造上の相違が大きくそこに働いたと考へないわけには行かない。

日本語はかなり複雑な語形の変化を行ふ言葉である。ところが中国語は変化がない上に，語が一音節より成り，これを重ねて複合する時にも，やはりこの性質は失はれてはゐない。かういふ比喩的な言い方はどうかと思ふが，日本語が流動的である

のに対して，中国語は静的であり，一つ一つの語がくっきりと静止した形で捕へられてゐると言ふことが出来る。日本人は自分の国とは比較にならないすぐれた文化と思想とをこの言葉を通じて取り入れたばかりでなく，漢文のもってゐる言語的な性質によって，日本語とは全く異る方法による物の考へ方を学んだのである。やがてわれわれの祖先は藤原時代にこの中国の言葉を日本的に同化して，漢字仮名混り文を創り出した時に，日本人は新らしい一つの言葉を思考の武器として獲得した。それと同時に日本語そのものも亦，大きく変化したのである。その結果日本語では失はれた複合語を造る能力に代る漢文式の複合語の造語法が明治以来新らしい西欧の科学や思想を吸収するために，如何に役立ったか，また逆に漢字の知識が次第に減少しつつある現在，この翻訳語がどんなに問題にされてゐるかを見る時に，われわれは上に述べた日本語の歴史が今日の日本語に同時代的な縮図となって如実に投影されてゐるのを痛感するのである。

　西欧の19世紀後半以後の教育の一つの大きな問題は，文芸復興期以後，確立された古典を中心とする方法からの脱出にあった。19世紀後半までは，大学教育以下の段階における古典語，殊にラテン語は大きな比重をもってゐた。このためには多くの時間がさかれたのである。ところが，近代の科学の発達は教育内容を複雑にし，量を大きくして行ったために，次第に古典語のための時間に喰ひ入って行かざるを得なくなり，第一次世界

大戦以後この傾向が著しくなった。そして第二次の大戦はこの傾向を更に助長し，殆んど決定的に古典語を普通教育から排除しようとしてゐる。

これに対する古典語教育の擁護論の主な点は，西欧文化の源泉たる古代文化の理解と近世の西欧諸言語の真の理解のためにはギリシアとローマの言語と文化の知識が必要欠くべからざるものであるとすることの外に，これら古典語の，近代の西欧諸言語との構造上の相違による頭脳の訓練がよく挙げられる。

第一の点については，これは議論の余地のない所であるが，しかし，これに対しても，今日の人間はこの古い古代以来の伝統から解放されなくてはならないとする声が常にさけばれてゐる。西欧の文化はギリシア・ローマ以来，キリスト教的な考へ方が加はりはしたけれども，ギリシア・ローマ的な考へ方の発展であって，そこには矛盾のない必然的な経路が辿られてゐることは，明治以後日本が従来の文化とは異質な西欧文化を移入し，その歴史的必然性を無視して，自分の文化に接木したのとは全く事情が別である。それにもかかはらず，今や西欧文化は古典文化から独立すべきであるとの主張が絶えず行はれてゐる。

第二の点は，第一とは全く別の意味で傾聴すべき考へである。ギリシア語は，よく言はれるやうな論理的な明晰な構造を元来もってゐた言語ではない。それは紀元前5世紀以前の散文の方言碑文を見ればすぐに判ることである。紀元前6－5世紀

のギリシア諸地方の人々は，彼らの法文や外交文書の中に彼らがよりよい，より明晰なギリシア語を作り上げるための努力の跡をまざまざと残してゐる。また紀元前5世紀末に書かれたThukydides の「歴史」は著者の思考にギリシア語がついて行けなかったために，彼が如何にギリシア語を虐使せざるを得なかったかをよくわれわれに示してゐる。しかしやがてギリシア人は自分の考へを自由自在に表はし得る柔軟で，しかも論理的な散文を創り出し，その方法をローマ人に伝へたのである。

　ローマ人はこの方法をそのまま自分の言葉に応用した。その完成者が Cicero と Caesar であった。これにはラテン語がギリシア語と同系統で，その構造が相当によく似てゐたために可能だったのであって，近世17・8世紀にフランスや英国やドイツの散文が完成された時にその手本となったラテン散文の真似が出来たのも，やはり同じ事情がそこに働いたことは言ふまでもあるまい。

　とは言へ，ギリシア語やラテン語，殊にギリシア語は複雑な語形の変化をもつ言語であって，その散文の構造はこの複雑な変化形をまって初めて可能であった。それを殆んど変化のない英語や，動詞以外には同じく殆んど語形の変らない仏語にそのままあてはめることには，大きな無理があった。そこから漸く近代の西欧諸言語に特有な文体が生れ出た。

　西洋古典語学習は，上記のやうに大いに異る構造の言語を学ぶことによって，またギリシア人やローマ人が長年月をかけて

創り上げた見事な言葉をわが物とすることによって，頭の体操をする効果があるといふ主張は，近年ドイツの L. Weisberger やアメリカの B. L. Whorf の主張とよく一致する。Weisberger は母国語なるものが如何にその話し手の考へ方を束縛するかを繰り返へし論じてゐるし，Whorf はアメリカ・インディアンの Hopi 族の言語の研究から出発して，Sapir の考へを発展させ，母国語の tyranny を説き，それからの解放の必要を強調した。

　言語が F. de Saussure の言ふやうに音とその内容との切り離すことの出来ない合一体であり，かつ言語が Gestalt 的な，その中のあらゆる要素の相互的な関係による価値の体系たる構造体であるならば，母国語を子供の時から習ひ覚えて，その母国語になんの不自由も感じないでゐる人は，この構造体の与へる分節の仕方によってしか考へることが出来ないばかりか，外界の把握も亦この仕方以外にはあり得ないことは，言ふまでもあるまい。問題は，言語が単なる物の名ではない所にある。de Saussure は言語は森羅万象の articulation「分節」であると言ったが，それは単に言語が外界の諸々の物に名を与へたといふだけではない。物の名だけを問題にしても，その名付け方が言語によって異る点だけを見れば，分節の仕方に大きな差があることに気が付くのである。それが抽象的なもの，更に語や文法の構造に及ぶ時，その差の大きいのに今更のやうに目を見張らざるを得ない。わたくし自身全くその知識がないので，よ

くは判らないが，Whorf がよく例に引く Hopi 族の言語では，空間と時間とが Einstein の相対性原理のやように同じ次元に包括されてゐると言ふ。これほどではなくても，英独仏などの西欧の言語を学んだ者は，日本語との差の大きいのに必ず驚くに違ひない。極めて簡単な「犬がみえる」といふ文は，英語では I see a dog となるのであって，この種の発想上の相違は syntax のあらゆる部分に及んでゐる。

同じ印欧語間でも，やはり著るしい差が認められることは，例へば英独，或は仏独の言語の比較文体論を見れば直ちに明らかとなる。

最近実用語学教育の必要が盛んにさけばれてゐるが，これは上記の視点からも必要なことで，自由に一つの外国語を使ひこなせるやうになることは，即ち母国語からの解放の一段階なのであるから，この意味で近代語の外に構造の全く異る古典語である漢文，ギリシア語，ラテン語の学習は，ともすれば歴史的展望をおろそかにしがちな日本人の頭の教育に一石二鳥の効をあげるかも知れない。　　　　　　　　　　　　（東京大学教授）

仏和辞書のことなど

中　平　　解

　わたしが大正9年に一高の文科丙類に入学したころは，フランス語を教えている高等学校は一高と三高しかなく，東大には仏文科があったが，京大にはまだ仏文科は置かれていなかったのではないかと思う。のちに京大の仏文科の教授となられた太宰施門氏は当時フランスに留学中であった。したがって，わたしは一高では太宰さんに教わらなかった。わたしが一高で習った先生は石川剛，内藤濯の両先生であった。内藤さんは陸軍の教授であったのが，多分太宰さんの後任として一高に着任されたのであろう。内藤さんはわたしが一高の二年のときフランスへ留学され，その代りに内藤さんの先生である杉田義雄さんが，今でいう非常勤講師として一高においでになって，わたしたちを教えてくださった。内藤さんの使っておられた Gustave Le Bon の *Psychologie des foules* を続いて教えてもらった。この本はなかなかおもしろい本であった。フランス人の先生は始めアンリ・アンベルクロード先生で，アンベルさんが東大へ移られたあとには，ヴィグルスさんという第一次世界大戦に参加された経歴のある頬ひげの美しい先生が来られた。三年生のときの法学通論は，杉田正三郎さんという仏法の先輩で，当時法

制局の参事官をしていた方から Gaston May の *Introduction à la science du droit* を教わった。文甲は鳩山(秀夫)さん，文乙は穂積（重遠）さんであったように思う。

　高等学校や帝大の関係はこのとおりだが，フランス語はもちろん東京外国語学校にもあった。外語の先生はよく知らないが，滝村立太郎さんに，杉田義雄先生も教えていらっしゃったのではないかと思う。鷲尾猛さんも若い先生として教壇に立っておられたのであろう。

　早稲田と慶応には仏文ができていたと思うから，高等学院や予科にもフランス語の先生はあったはずである。

　第一次世界大戦でフランスが勝って間もないころであったが，フランス語を学ぶ学生の数は少なく，したがって教科書も数えるほどしかなく，辞書は大正10年に白水社の『模範仏和大辞典』が出るまでは，大倉書店から出ていた野村泰亨の『新仏和辞典』という小さい辞書があるだけであった。『模範仏和大辞典』が出るまでは，英語やドイツ語の辞書に較べて，フランス語の辞書は貧弱で，使うのにも困ったし，英法や独法の連中に対して仏法の者は肩身も狭かった。野村さんは第一次世界大戦のころ，明治19年に仏学塾の仲間と一緒に作った『仏和辞林』の改訂を企ててせっせと原稿を書いておられたとのことであるが，惜しいことにこの辞書は世に出ないままで終った。

　今ではフランスの小説や劇，詩などの翻訳は実に多いが，大正9年ごろはフランスのものでも英訳からの重訳が多く，フラ

ンス語から直接に訳されたものはきわめて少なかった。広津和郎のモオパッサンの『女の一生』も，この訳名が示すように英訳の *Woman's Life* からの重訳である。フランス直接訳が次ぎ次ぎに出だしたのは，大きく考えると，昭和にはいってからである。

このようにいい辞書がフランス語の方で出なかったのは，フランス語の学問をする人にすぐれた人がいなかったというよりも，仏和辞書を買う人の数が英語，ドイツ語に較べて，格段に少なく，商売にならなかったことと関係があると思われる。もちろん，研究者の数が少なければ，すぐれたフランス語の学者，あるいは辞書編集家が出にくいということもあるから，英語やドイツ語に較べて，優秀な語学者がフランス語の仲間にはいなかったと言えないまでも，少なかったとは言えよう。

しかし，わが国のフランス学の鼻祖と言われる村上英俊が，『仏語明要』というわが国で始めての仏和辞書らしい仏和辞書，いわゆる「仏字典の嚆矢」を公けにしたのは元治元年（1864年）のことであるから，フランス学はその出発点においては，英語あるいはドイツ語におくれを取っていたわけではない。

フランス語の辞書としては，これより古く本木正栄，楢林高美，吉雄永保の三人が作った『払郎察辞範』がある。わたしはこれが長崎市立博物館に所蔵されていることは知っているが，実物を見たことがない。できあがった年について，長崎大学教養部の吉岡秋義君は「唯，辞範については，その題言に，本木

112

の署名があるので，彼が死亡した1822年前に成立したことはた
しかであろう[3]」と言っている。なにしろ『仏語明要』よりも40
年あまり前に作られたものであるから，これこそ，まさに仏和
辞典の嚆矢と言うべきものであるが，公刊されていないために
世間に与えた影響はどのくらいあったか不明である。長崎在住
のオランダ通詞がなにかのことで利用したかも知れない。

　さて村上英俊の『仏語明要』の出た元治元年は英俊のフラン
ス語学習に縁のある佐久間象山の遭難や，蛤門の変，英米仏蘭
連合艦隊の下関砲撃などがあって，物情騒然としていたが，こ
の辞書はフランスに向かって開かれた窓の役をするのに大いに
役に立ったにちがいない。わたしが昭和10年ごろ目にした『仏
語明要』は奥州二本松藩の印がおしてあったが，手許にある本
は，英俊自序の第一頁の右肩に「名古屋藩学校之印」がおして
あり，左肩に「御払下」の印がおしてある。どちらもフランス
と仲の好かった幕府に関係の深い藩である。ただ，手許にある
『明要付録』の第一頁には「東京府印」という印がおしてあ
る。

　おもしろいのは『仏語明要』が出たのが1864年で，『明要付
録』が公けにされたのが1870年なので，その間に僅かに6年の
歳月が経っているに過ぎないのに，『仏語明要』では pain に
「蒸餅母，食物」という訳があるのに対して，『明要付録』で
は pain bis に「黒きパン」，pain quotidien に「日用のパン」
のような訳がついていることである。時間がないために，フラ

ンス語以外の辞書を参照することができないのでわからない
が，パンということばは1864年（元治元年）にはもう用いられ
ていたのではあるまいか。パンがポルトガル語の pão から来
た語であるとすれば。パンが古くからある語とすると，英俊が
それを知らなかったということになる。

　『仏語明要』では thermomètre に「寒暖計」という訳があ
るが，これは蘭学者の間で既に用いられていた語であろう。英
俊は若いころ宇田川榕庵について蘭学を学んでいる。蘭学の知
識がこの辞書を作るときに，どれだけ彼の役に立っているか想
像に余るものがあろう。physique は「理科」と訳してあるが，
chimie は「舎密」と訳されている。[4] 舎密はたしか蘭学者の間
に行われていたものであるが，川本幸民はこのころ現在の「化
学」という語を使っていたのではないかと思う。手許に参考資
料がないので，あいまいなことになり恐れ入るが，médecin の
「医者」，théologie の「神学」，horloge の「時計」，montre の
「袖時計」は現在の訳と同じであったり，あるいは割合に近い
訳であったりする。grammaire の「文法書」，grammairien の
「文法学者」は今と同じだが，logique は「論議術」と訳してあ
る。philosophie は「天道ノ説」となっている。「理学」という
訳はまだ生まれていなかったものと見える。phare は「港ノ燈
明台」[5] となっている。『明要付録』の vapeur （蒸気）の項に
vaisseau á vapeur [6] として「蒸気船」という訳がある。ペリー
が浦賀に来たときの「太平の眠をさます上喜饌たった四杯で夜

も眠れず」の狂歌でもわかるように，嘉永6年（1853年）にはもう蒸気船ということばは知られていたはずである。したがって，『明要』の原稿を書いていたときにも，英俊は vaisseau à vapeur が蒸気船であることを知っていたにちがいない。pain は「蒸餅母」であったが，vin は「酒」となっている。葡萄酒ということばはまだなかったのであろうか。バタをいう beurre は「ボートル」，チーズの fromage は「カース」とある。オランダ語の boter と caas である。tabac はちゃんと「煙草」となっている。bière は「麦酒」とあるが，当時はまだビールは日本に来ていないはずだから，ビールということばはできていないと思われる。林檎酒の cidre は「林檎汁」とあるのに，ときどき cidre の代りに用いられることのある pommé という語にはちゃんと「林檎酒」という訳がつけられている。クリスマスの noël はただ「祭日」とある。liberté は「自由」，révolution は「革命」とある。anglois は「英吉利語」[7]，espagnol は「西班牙ノ」，hollandois は「和蘭風ノ」で，allemande は「独逸ノ踊」とある。これから見ると，独逸という語はもうこのころ行われていたことがわかる。dictionnaire は「語書」と訳されているが，彼の嘉永7年（1854年）に著わした『三語便覧』の巻末にある著述の広告には，『仏語明要』の項に「此書ハ仏蘭西ノ字書ナリ洋学者和蘭ノ字書ヲ以テ検査シ得サル語ハ多ハ是仏蘭西語ナリ故ニ此書ヲ以テ探索スル|キハ一目瞭然タルベシ蓋シ皇国ニ於テ仏蘭西学ヲ唱ルハ先生ヲ以テ祖トス先生飽学富

文ノ余後進ノ為ニ多年専心極慮シテ撰集セシ善書ニテ実ニ仏字典ノ嚆矢ト謂ツベキ者ナリ」とある。英俊が何故に dictionnaire に字書，字典の訳をつけなかったのかわからない。

『仏語明要』にはときどき誤訳がある。たとえば，「マガラスムギ」の avoine を「小麦」と訳してある。oat は日本になかったからである。denture を「義歯」としているが，これは集合的に言った「歯」のことだ。géologie を「地理書」と訳しているが，これは「地質学」である。poulain は「(30か月以下の)若駒」のことであるのに，「雛鳥」と訳してある。あるいはオランダ語との対照が悪かったのかも知れない。『明要付録』の semer des marguerites devant les pourceaux に「真珠ヲ猪ノ前ニ投クル」とあるが，これは「豚に真珠」つまり「猫に小判」の意味である。pourceau はラテン語の porcellus（小豚）の後身であるが，フランス語では「豚」の意味になり，今では書きことばと東北フランス，西フランスなどの方言でしか使われない語である。猪は話しことばでは豚のことだが，書きことばではイノシシのことだから，この猪はイノシシのことであろう。現に『仏語明要』では， pourceau は「野猪」と訳されている。courtillière はケラのことだが，「甜瓜ニツク虫」とあるのはどうしたことか。grillon は「コオロギ」であるが，「明要」には「鈴虫」と訳されている。フランスにはスズムシはいないはずである。そこで chêne（英語の oak）の訳を見ると，「櫟樹」とある。これはクヌギのことであろう。明治4年に出た長

116

崎の好樹堂訳の『官許仏和辞典』には，chêne は「樫」とある。このごろの辞書には柏（かしわ）とあるが，chêne はクヌギでも，カシでもカシワでもない。オークとでも言うより仕方ないだろう。bruyère をヒースと言うのも，英語で言いかえたに過ぎないが，これも最近まではそう言っていた。今では花屋でこの花を売るようになって，エリカと言っているから，ヒース以外にエリカとも言えるようになった。rossignol は「鶯」と訳されているが，鶯を慣用に従ってウグイスとすると，ウグイスは日本にしかいない鳥だから rossignol とはちがう。ナイチンゲールとでも言うよりほか仕方ない。houx は「狗骨」とあるが，これはヒイラギのことである。しかし houx はヒイラギとは別で，武田久吉博士は「ヒイラギモドキとか，又はトゲバモチノキとでもいふなら未だ恕す可し」であるとされている。狗骨は牧野富太郎博士によれば，モチノキ属のヒイラギモチ（Ilex cornuta *Lindl.*）のことで，これをヒイラギに当てるのは誤用である。ところで houx もモチノキの類であるから，中国で使われている意味の狗骨であれば，狗骨は houxの訳としてはヒイラギよりもましなことになる。もっとも英俊は狗骨をヒイラギの意味に使っているのだが。

しかし，chêne や rossignol や houx のように，日本にないものは「櫟樹」，「鶯」あるいは「狗骨」と訳されていても，いたし方ない。現代の辞書でもちょっとやりようがないのだから。

中には courge（カボチャ，ヒョウタンの類）を「草名」，coquelourde（西洋オキナグサ；スイセンの一種；ユキワリソウ）をやはり「草名」と訳しているのは荒っぽいが，なんにもわからないよりはましである。石川剛先生は Ferdinand Fabre の *Julien Savignac* の中に出て来るいろいろな小鳥の名を，すべて「小鳥」と訳していたと，一高時代の友人が話していたが，わたしにはその記憶はない。これは少し話が誇張されているのであろう。なにかの小鳥，たとえば grive（ツグミ）を「小鳥」と訳されたのかも知れない。coquiole（ウシノケグサ）を「雑草」と訳してあるが，これはまずい。「雑草名」とでもしないと，いきなり「雑草」と言うと mauvaise herbe とまちがえてしまう。注(11)で cranson のような特殊な語は不要ではないかと書いたが，courte pendu に「短茎ノ林檎」とあるが，この語は *Larousse du XXe siècle* にも出ていない。noix は「実」とある。たしかに noix はクルミの実のような「堅果」のことをさすが，本来は「クルミ」である。coque に「胡桃殻」の訳があるのに，なぜ noix に「胡桃」の訳を落したのであろうか。

　こんなことを言っていると切りがない。なにしろ今から百年前に出た辞書なのだから，いちいち細かく検討していたら，いろいろと言いたいことが出るにちがいない。しかし百年も前に，よくこれだけの辞書が作られたものだと感心する。英俊はすこぶる良心的な態度で辞書編集のことに当たっていること

は，ときどき（たとえば crimnon, cubébe, coquelicot など）訳がなくて，「未詳」と書かれていることによってもうかがい知られる。これは既に『仏学始祖村上英俊』の著者である滝田貞治氏が指摘されているところである。辞書の訳語をどうつけたらいいのか，決めかねて煩悶することは辞書を作った人なら，だれにでもある経験であろう。わたしもこの問題ではずいぶん悩んだ。大修館の『スタンダード仏和辞典』を作るとき，原稿にははっきりしないものは赤い紙をはっておいたが，未詳と書いたのでは辞書が売れないであろうということでやめにした。学術書などでは，よくわからぬことはよくわからぬと書くのであるから，辞書でもほんとうはそうしたがいいと思う。そうすれば未詳の点だけを追及することができるのだから。

　『仏語明要』のことは書くとなるといくらでもあるが，これくらいにして，『明要付録』について一言述べると，これはたとえば avoir は「明要」では「モツ」とあるだけだが，ここでは avoir á（セネバナラヌ），n'avoir qu'á faire（為スベキフコノミナリ），n'avoir que faire（要用ノ事ナシ）[12]，y avoir（茲ニアリ），il y a（ソレガアル），avoir beau（無益ヲナス）が加えられ，「明要」では falloir は「ネバナラヌ」とあるだけだが，『明要付録』では s'en falloir（違フ。事欠ク），il s'en faut beaucoup（多ク違フ），…peu que（少ク違フ）が挙げられている。「明要」では gros は「肥テヲル。大ナル。重キ。冨ル」とあるだけだが，「付録」には femme grosse（孕婦），grosse femme（肥婦）が加えられている。「付録」はずいぶんくわしくなっている。更に「付録」の大きい特徴は動詞の変化形が見出語になって，説明がついていることである。たとえば a は「▲現モツ」とあるが，▲は第三人称の符号であるから，三人称現在で，意味は「モツ」ということである。va は「▲現行ク」，verra は「▲未見ルダロウ」とある。おかしいのは eus は一人称，二人称の定過去で，「アッタ」という意味だとしていることである。「モッタ」とすべきところである。なお fus は一人称，二人称の定過去で，「アッタ」であるのに対して，étais は一人称，二人称の半過去で，「アリシ」と訳して，区別をしてあるのはおもしろい。付録にはさらにメートル法の métre, gramme, litre などの説明があるが，franc は「我ガ九匁程ニ当ル」と記されているのはおもしろい。略語表もあるが，フランス語に直接関係のあるものは ouest（西）の O., monseigneur（我君主）の mgr, madame（我が夫人。貴婦）の Mme などで，ラテン語のものが多い。

　上に述べたように，『明要付録』が出たのは明治3年（1870年）であるが，翌明治4年（1871年）には先きほどちょっとふれた好樹堂訳の『官許仏和辞典』が出版されている。これは活字本で出た最初の仏和辞典である点で，忘れることのできないものである。ただし印刷は日本でしたものではなく，上海の Imprimerie de la Mission presbytérienne américaine で印刷したものである。わたしは昭和15，6年ごろ，山田惣七氏所蔵

の明治6年（1873年）出版の松田為常，瀬之口隆敬，村松経春の『官許独和辞典』を見たが，この辞書もたしか上海の同じ印刷所で印刷されたものであった。敗戦後上京して間もなく渋谷駅付近で山田さんに遇ったので，この辞書のことを尋ねたら，空襲で永福町の家が焼けたときに一緒に焼けてしまったとのことであった。序文を写し取っておいたが，どこにしまったか見つからない。わが国の活字印刷は，明治5年の末から明治6年ごろにかけて開けたのであるから，『官許仏和辞典』や『官許独和辞典』が上海で印刷されたのは仕方ない。俗に『薩摩辞書』として知られた英和辞典も，明治6年の12月に和製の鉛活字を使って東京で印刷されるまでは，明治2年版も同4年版も上海で印刷された。

　好樹堂訳とあるのは Nugent のポケット仏英辞書を訳したものだからである。1871年2月に上海で書かれた Préface によると，Nugent の辞書はこのときまでにロンドンで30版を重ねているとある。好樹堂とはだれのことかわからないままで，もう30年近い時間が流れてしまった。フランス語の序文を書いたのが好樹堂その人であれば，よほどよくフランス語のできた人物だと思うが，崎陽とは長崎のことだから，明治4年ごろ長崎にいて，フランス語の堪能であった人の正体を知りたい。吉岡秋義君は『和仏蘭対訳語林』は村上英俊の『三語便覧』（嘉永7年，1854年）の影響を受けた長崎の通詞の作ったものではないかと疑っているが，『仏語明要』の出る1864年までの間にこの

本の草稿を書いた通詞の中のだれかが好樹堂なのであろうか。
そうだとすると，その人物は1871年までの間によほどフランス
語の勉強に精を出したにちがいない。⁽¹⁴⁾『和仏蘭対訳語林』を書
いた通詞たちのフランス語の力は貧弱であったようだから。

　この辞書で『仏語明要』がまちがえていた語を調べてみる
と，avoine は「烏麦」，⁽¹⁵⁾denture は「歯ノ列」，poulain は「馬
ノ子」，pourceau は「豕」と訳されている。1864年から僅か7
年ほどのうちに，よくこれほど進歩したものだと思う。
courtillière（ケラ）は見出語になく，grillon はやはり「鈴虫」
と誤訳されている。chêne は上記のように「樫」，rossignol は
「鶯」，houx は「狗骨」であり，courge は「匏」とある。匏は
「フクベ，ヒサゴ」のことだから，明要の「草名」よりもぐっ
と正確になっている。coquelourde は見出語にない。cranson,
cochléaria も見出語に出ていない。coquiole もないが，ポケッ
ト辞書を訳したものだから当然であろう。「明要」が未詳として
いる coquelicot には「麗春花」とある。麗春花はヒナゲシの
ことだから，これも進歩している。pain に「蒸餅」とあるの
は，『明要付録』の「パン」よりおくれているが，beurre（バ
タ）には「牛酪」，fromage（チーズ）には「乾酪」の訳がつけ
てある。bière は相かわらず「麦酒」だが，vin は「葡萄酒」
になり，「明要」の「酒」よりも進歩。cidre は「林檎酒」，dicti-
onnaire は「辞書」で，logique は「論理」となっている。
philosophie は「聖学」，physique は「博物窮理」で，chimie

は依然として「舎密」である。

musique は「明要」では「楽」であるが，この辞書では「音楽」，同じく histoire は明要では「史」だが，ここでは「歴史」。géographie は「明要」の「地理書」から「地理」とかわっている。しかし，これは両方の意味がある。géologie はこの辞書にはない。明要では christianisme を「神教ノ人」と誤訳しているが，この辞書では「聖教」とある。chrétien は「明要」では「耶蘇ノ」だが，ここではどうしたわけか「聖教」とある。形容辞と実名辞の両方として扱っているのだが，それにしても「聖教」だけではおかしい。mulsulman を「明要」は「マホメット宗ノ」と訳し，ここでは「土爾其人」とある。トルコ人はむしろ「明要」よりも不正確である。paratonnerre は明要で「避雷柱」だが，この辞書には見出語にない。parasol は「明要」が「日傘」，ここでは「日笠」で，明要の方がいい。parapluie は「明要」が「雨傘」，ここでは「傘」，これも「明要」の方がいい。université はどちらも「大学校」。正式に大学校と言ったのは陸軍大学校，海軍大学校で，今は防衛大学校というのがある。professeur は「明要」が「教頭」で，ここでは「学頭」とある。明治19年に出た野村泰亨，伊藤大八，初見八郎，小出拙蔵，田中健士共編で中江兆民校閲の『仏和辞林』でも，professeur はまだ「教師。技術師」である。この辞書では chimie は「物化学，化学」(16)，physique は「物理学」となっている。philosophie は「理学」で，まだ「哲学」ではない。哲学は井上哲次郎の造語であると

123

いう。ここでは pain は「麺包」である。世間の人たちが口にしている語を，できるだけ避けたのであろう。savon はシャボンと言っていたはずであるが，三書とも石鹸である。わたしは今でもシャボンと言うが，このごろの人は石鹸と言うらしい。christianisme は『仏和辞林』では，もう「基督教」となっている。musulman も「回々教徒」となった。このごろではフイフイ教徒よりも回教徒と言うようになった。ことばはこうして変化して行くのである。paratonnerre は「辞林」では「避雷竿」で，まだ「避雷針」とはなっていない。démocratie は「明要」では「合衆政府」，仏和辞典では「共和政治」だが，「辞林」では「利民政事」などで，「民主主義」が生まれるのはずっとあとのことである。大正時代には，民本主義という語が吉野作造博士の論文などに用いられていたことを思い出す。banque は「明要」では「為替坐。両替坐」で，仏和辞典では「両替座」だが，「辞林」にはもう「銀行」の訳が見られる。esthétique（美学）という見出語は「辞林」だけに出ていて，「文芸論。文芸的理学」の訳がある。「美学」は兆民の創った訳語である。「理学」は philosophie のことだから，「文芸的理学」とは「文芸哲学」ということである。なんとなく文芸学ということばを連想させられる。

　『官許仏和辞典』には à の項に，Ils sont à jouer,à étudier, à se promener という例が出ていて，「彼等ハ游戯。読書。逍遙シテ居ル」と訳してある。この être à＋infinitif の用法は「明要」はもとより，「辞林」にもないし，たしか白水社の『模範仏和

大辞典』にも出ていない。これは先人の仕事を正しく受けついでいないということで，惜しいことである。「辞林」には être の項に，un coquin s'il en est,un coquin s'il en fut という例があって，「此ハ人間中ノ最鄙漢ナリ」と訳されている。「辞林」は Littré[(17)] の辞書を Beaujean が簡単にした *Dictionnaire de la langue française* に拠ったものであることが，この例からもわかる。なお「辞林」では coquin は「卑汚ノ人」とある。

村上英俊の『仏語明要』が世に出てから，今年で101年。この百年間にわが国のフランス学はかなり大きい発展を遂げたが，その蔭にはどれだけ多くの先覚者の苦心が隠されているか計り知れないものがある。わたしがここに書いたことはほんのうわっつらを見ただけで，こうした努力の集積を正しく評価するには，もっと時間をかけて，じっくりと調べあげなければならない。わたしには今それだけの時間もないし，エネルギーもない。やり残した仕事があまりにも多くて，あと20年，30年生きて働いてみても，とてもまとめあげることができないような気がする。フランス学の発展の歴史を辿ることも，わたしの仕事のひとつに数えていたが，とてもできそうにない。若い人の中から，そうした仕事に意味を見出す人が出て来て，まとめてもらいたいと念願しながらペンをおくことにしよう。

（東京教育大学教授）

（1）　『明要付録』は明治3年（1870年）に出たが，この年は第二帝政の崩壊をひきおこした普仏戦争の始まった年である。

(2) わたしは昭和19年の春出た『和泉文化』の最終号所収の「わが国仏学の先駆者たち」でこの本のことにちょっとふれた。

(3) 吉岡秋義「仏郎察辞範」と「和仏蘭対訳語林に就いて」（長崎大学教養部紀要，人文科学，第五巻，p. 6）。

(4) 舎密と書いてセイミと読んでいたようである。

(5) 『明要付録』では fare ou phare として「燈明台」とある。

(6) à を á とまちがえて書いているのに注意されたい。

(7) 現在は anglais と綴るが，[ɛ] の音に対する oi の綴りが現在の ai に変えられたのは，アカデミー辞書の 1835年版である。したがって英俊がこの辞書をつくっていたころには，既に anglais, hollandais となっていたはずである。それが anglois, hollandois と綴られているのは，彼が使った蘭仏辞書が古いものであったことを物語っている。

(8) フランス語ではイノシシは sanglier だが，porc sauvage とも言う。porc sauvage はまさに野猪に当たる。

(9) 鴬は本来は黄鳥すなわちコウライウグイスのことである。

(10) 武田久吉著『植物と民俗』(山岡書店刊)，113頁。

(11) cranson も「草名」とあるが，これは cochléaria（トモシリソウ属）の俗称のひとつであるから，この程度の辞書にはなくてもいいものである。なお，cochléaria も「草名」と訳されている。

(12) 荑という字が当ててある。

(13) 滝田貞治氏の上掲書下巻の年譜による。吉岡君が刊年を1857年としているのは何によるのか。

(14) 記憶だけに頼って言うのだが，中江兆民は長崎で平井義十郎からフランス語を教わっている。この平井と好樹堂とは関係がないのであろうか。

(15) aveine も avoine, aveine と見出語に並べてある。「明要」の aveine の項を見ると，voyez avoine とある。

(16) 物化学と言えばバケ学と言わないでも，科学と混同される恐れはない。したがって最近まで chimie を物化学と言う人があった。

(17) 兆民は律篤礼と書いている。

ローマ字とヘボンについて

星 山 三 郎

1. ローマ字 100 年の歩みと将来

　それまでは一握りの指導特権階級のものであった学問が国民大衆のものとなった。これが明治 100 年の歩みの特徴のひとつであろう。ことにこの期間に欧米の科学がとりいれられ，しだいに国民生活の中にまでしみこんで，わたしたちの身の廻りには，あちらのものとわが国に固有なものとの区別がつかないまでになったものさえある。教育が普及し，「外国語」も今では国民教育をうけた者なら，だれひとりとしてＡＢＣの読めない者がない。慶応義塾の創立者福沢諭吉が幕末（安政 5 年）大阪から江戸表に出て来た当時，だれひとり英語を教えてくれる人がなかったということ（福翁自伝による）を考えるとこの 100 年の進歩はすさまじい。

　今から 100 年前，蘭学者はさておき，一般庶民でローマ字を用いて自分の名を書ける人はほとんど無かったようである。ローマ字教育ということは，語学教育という立場からみると，**わき役的**な存在かも知れない。少なくともそういう取扱いを受けて来た。現在のローマ字と国民生活の結びつきを考えると 100 年の文化の進歩の中に，これを見落とすことはできない。われ

らが身辺を見よ。どんなへんぴないなかの駅にも見られるローマ字，街を歩けば商店の看板に，デパートの買い物の包み紙に，または学生・生徒たちの持ち物に書きしるされた氏名のイニシャルなど，もはや国民の生活の一部となっている。第2次大戦直後，アメリカ軍がわが国に進駐し，駅名や地名に "modified Hepburn system" を用いよと指令し，文部省が「事情の許す限り，児童にローマ字による国語の読み方，書き方を授けるものとする」(昭22) と国民教育にローマ字をとりいれることをすすめ，新聞なども盛んにローマ字問題をとりあげた時期があった。現在では一般の関心は下火になったかにみえる。しかしローマ字はわが国の国字改良問題の一環として将来大きな問題となるかくれた力を持っているように思われる。それはお隣りの中国の国字改良運動とも関連して消長がありそうである。中共の指導者毛沢東主席は1951年，「いつかは漢字をやめて，もっとすべての人が使える文字を作る」，「文字は必ず改革されねばならぬ，世界文字共通の音標の方向に進まねばならぬ」と言っている。(倉石武四郎「漢字からローマ字へ」より)。 中共は1955年，「略字の公布」，「ローマ字の採用」以来，文字改良の方向に進んでいて，そのテンポを早めているというから，この分野では，明治の初めから文字の改革を叫んで来た先輩格の日本の方が，今では中国におくれを取っているようにみえる。これから先50年か100年か，あるいは200年の年月を要するか，それは予測できないけれども，このままで行くと，家元の中国の方

では漢字を廃止したのに世界中で漢字を用いているのは日本ばかりということになりかねない。そうすると当然起きてくるのは国字のローマ字化問題である。こういう時にわれわれは世界共通文字の資格を持とうとしているローマ字に無関心であってはならない。政府も国民も，線香花火的ではなく，もっと本腰を入れて研究をすゝめる必要があると思う。

2. 混同するローマ字

わたしは毎年新学期になると新しく大学に入って来る学生にローマ字で自分の名前を書かせている。どうも正しく書けない。そういう学生がかなりいる。たとえば「土屋」という学生がいたとする。そのローマ字をみると *Tuchiya, Tsutiya, Tutiya* または *Tsuchiya* の四つのうちのどれかである。最後の二つはよいとして，最初の二つは明らかに両式（訓令式とヘボン式）の混用でこまる。しかしわたしはこのような混用に対して学生を責める気は起こらない。そうさせている根源は何か。これは国情の反映であろうけれども，国が内閣告示としてローマ字つづり字表として第一表（訓令式）と第二表（主としてヘボン式）を認めているところにあると思う。近くは，学生・生徒にむだなエネルギーを浪費させないためにも，遠くは，前に述べたローマ字の国字化への努力のためにも，この統一がなくては，問題の解決は望めない。

3. ローマ字とわたくし

わたしたちは小学校のとき（それは東北地方で，大正時代の

前半であったが) ローマ字で自分の名前を書くことを教わった。先生がローマ字五十音図表をプリントにしてくれた。わたしはその表の中から一つ一つローマ字を探し出して, HOSHI-YAMA-SABURO と書いたことを覚えている。中学では英語の教科書の終りに付録としてローマ字表がついていて, それで自分なりに地名や人名をつづっていたので, 正規に習った記憶はさらに無い。一般の人もそうであったろう。それをヘボン式であると意識するようになったのは, 昭和5年文部省に「臨時ローマ字調査会」ができて, 日本式とヘボン式との論争が激しく火花を散らしてからである。英語の教師になってから自分で少し調べるようになって始めて, ヘボン式ローマ字とは, わが国開国早々アメリカからわが国にやって来た宣教医James Curtis Hepburn (1815—1911) という人の創意工夫になるものである, そしてわが国で始めて彼によって作られた和英辞典, 「和英語林集成」(俗称ヘボン辞書)に用いたのでヘボン式としてひろまったという事がわかって来た。終戦後, 語学教育研究所の行なう研究の一つとしてローマ字を調べることが私に課され(その報告は「語学教育」No. 199「ローマ字覚書」)それからそれへと調べているうちに, 「ヘボン式——これはどうもヘボン博士ひとりの創意工夫になるものではないらしい」と考えるようになって来た。次にその経過を述べて見よう。

4. ヘボン式とは何ぞや

安政5年 (1958) 日米通商条約が締結されると, すぐその翌

年来朝したヘボンが宣教のために，日本語の勉強を始めようとした時，参考になる本というものはほとんどなかった。わずかに入手できたものは，「語林集成」の前書にも見られるように

(1) the small vocabulary of Dr. Medhurst published in Batavia in 1830,

(2) the Japanese and Portuguese Dictionary published by the Jesuit missionraies in 1603

すなわちメッドハーストの「日本語彙集」と古いキリシタン時代の「日葡辞典」があるだけであった。それゆえローマ字つづり字を決める上にこれら両者の影響も当然考えられるが，ヘボン自身が自己の耳を頼りに同僚の宣教師たちの意見も尋ねて，わが国語音を耳に聞こえた通りに，英語のアルファベットの発音価に従ってこれを写し取ったことは想像にかたくはない。彼の書簡集には，これを裏づける記録が各所に見える。彼の熱烈な日本語研究の努力の成果は8年後，語い2万をおさめた「和英語林集成」(1867) となって世に出た。

　初版ではできるだけ耳に聞こえる通り，忠実に発音を写そうとした跡がうかがえる。「人」を h'to,「七」を sh'chi,「不快」を fuk'wai,「鈴」を szdz としたことにもその片鱗が見られる。

　第2版 (1872) では日本語の古典に目を通すようになったためか，カナ書きを忠実に写そうとしたようである。たとえば上記の例は hito, shichi, fukuwai, sudzu などと改めたことによって，それがうかがい知れる。

初版，第2版を通じて，ヘボン式の特徴をなすものは拗音の表記法であった。キャ＝kiya，キョ＝kiyo，ヒャ＝hiya，ヒョ＝hiyo などと表わすの類がそれであった。「屏風」は biyōbu，「百姓」は hiyak'shō とつづるのであって，これらの語をカナ書き風に表記しようという考え方に，ヘボンはいつまでも非常な執着を持っていたらしい。

　明治19年（1886）第三版がでたが，その時は語数も初版に比べて倍近くになり，表記法も，その前年わが国に外山正一を議長として，生れた「ローマ字会」式に改めた。これは「ヅ」を dzu としないで zu とするとか，ワ行の「ヲ」の標準音を wo としないで o とするなどであったが，大体はヘボンがその辞書に用いた形に近いものであった。ただ一つの大きいちがいは拗音の表記法であった。意見を求められたヘボンは初めはそれを改めることに不服であったらしいが結局はこの「ローマ字会」の意見を容れて自分もローマ字会式によってローマ字をつづることにした。それゆえ第3版では前記の「屏風」，「百姓」など byōbu, hyakushō と改めている。その事を指すのであろう。第3版の序にヘボン自身がこう書いている。

　" Though somewhat against his own judgement, but with an earnest desire to further the cause of the Romajikwai, he has altered to some extent the method of transliteration…"

　今日われわれの知っているヘボン式というのは，大体この第3版のつづり字であるから，それを世間の人からヘボン式とい

われるのは，ヘボン自身が謙虚な人であっただけに，不本意の
ことであったろうと思われる。

　ヘボンがその辞書に用いたつづり方をヘボン式と呼ぶのが当
っているかどうかについてはまだ一つの問題が残る。ローマ字
会式によった第3版は別にしても，それこそヘボン式と言って
もよい初版や再版に用いられたつづり字は彼自身が創始したも
のであるかどうか。ここに問題となるのはヘボン辞書出版に先
立つこと4年，1863年に，ヘボンと同じ神奈川の成仏寺に起居
を共にしていて親しかった宣教師 S. R. Brown (1810—1881)
が "Colloquial Japanese"「日本語会話」を公にしているこ
とである。この S. R. ブラウンの会話書に用いているローマ字
つづりを見ると，ヘボンのそれと全く同じである。ヘボン辞書
の初版で最も注意をひくス，ツ，ズは sz, tsz, dz で表記され
ているが，S. R. ブラウンの場合も同様である。数詞の「一つ，
二つ」はどちらも h'totsz, f'tatsz とつづっている。そしてブ
ラウンの会話書の前書きに彼はこういうことを述べている。
「この本に用いたローマ字つづり表記法については，日本語を
研究している人たちの意見を求めましたが，今に日本語に関す
るきっともっとよい著作を出される人たちの賛同を得た表記法
と考えております」

　"The sysetm adopted in this volume, has been submitted
to the judgement of gentlemen who are engaged in the study
of this language, and may be regarded as having received

the approval of those who are most likely hereafter to produce other, and no doubt, better works on the Japanese language.''

このブラウンの言葉のうち「日本語を研究している人たち」の中にヘボンが入ることはたしかであり「日本語に関するもっとよい著作」と書いた時にはその時進行中であったヘボン辞書をも頭の中に置いて書いたにちがいない。

5. ヘボン式という名は当らない

前節の引用文中「日本語を研究している人たち」というのはだれとだれであったろうか。当時, 時を同じくして来朝し親交のあったのはヘボン, ブラウン, シモンズ (Simmons), フェルベッキ (Verbeck), 少しおくれてバラー (J. Ballagh) などであった。するとこのローマ字つづり表記法は当時乱れていたつづり字をこれらの人たちが互に意見を述べあって整理し, お互によいと納得がいった所で, 皆が用いることにしたというのが真相ではないだろうか。そうだとするとヘボン式というのは当らないし, またブラウン式とも言えない。むしろこれらの人々が英語国民であり, 最も問題となる子音字が英語流であることから考えて「英語式ローマ字」というのが妥当ではないかと思う。

6. ヘボンと「和英語林集成」の現代に残した遺産

以上のようにわたしはヘボン式ローマ字という名は当らないと言った。しかしこれはヘボン自身にとって, 宣教, その手段

としての日本語研究という大目的からみればローマ字表記法は副次的な問題であり，これによって彼の業績に対する声価や，「和英語林集成」の価値をそこのうものとは考えない。この「語林集成」は世間からヘボン辞書と呼ばれ，それが当時の政府から2,000部も買いあげられ，第3版などは67版を重ねたということそれ自体が，いかに明治初期の日本の英学に貢献したかを雄弁に物語っている。しかし「和英語林集成」の今日における存在価値は，わが国の当時のことばを表音文字のローマ字で忠実に記録したことであり，国語の歴史的研究の重要な資料となっている。わたし自身今，次のような見出しや定義をみると，その時代の背景がほのかに目の前に浮んでくる。

GIYŌ-DZI, ギャウズイ, 行水 n. Bathing with warm water.

ME-AKASHI, メアカシ, 眼明 n. a spy, secret policeman.

SHI-CHŌ, シチャウ, 紙帳 n. a mosquito net made of paper.

またこの辞書はS. R. ブラウンの会話書と共にわが国で始めて「日本語のよこ書き」のお手本を示してくれ，それが次第に広まって行ったようである。すると現代のわが言語文化の上に目にこそ見えないが国語のよこ書きという大きな遺産を残して行ってくれたことになる。当時は蘭学の書も英学の書も，日本語と並べて書く場合にはほとんどが「欧文よこ書き，日本文たて書き」であった。たとえば先にヘボンが参考にしたというメドハーストの「日本語彙集」などは次のようであった。

People　Tami　タミ

Common people　Tadabito　タダビト

To explain　Ya-wa-ra-ge tokf'　ヤワラゲトク

1960年版の「英語箋」によると

I am very fond of reading.

私ハ甚ダ読書ヲ好キデゴザル

このような傾向は明治の始めの出版物にも見られるが，われわれが今日講義のノートはもちろん，役所の書類にまで用いるようになった*「左より右へのよこ書き」の便利さを教えてくれた最初の人はまちがいなくS. R. ブラウンとヘボンのようである。2，3例をあげる。

ブラウンの "Colloquial Japanese" (1863) では，

Thank you.　That is right.

カタジケ，ナイ　ソレガ，マコトデゴザリ，マス

「和英語林集成」(1867) にはこんな風になっている。

BIYŌBU, ビャウブ，屏風 n. a folding screen.

HIYAK'SHŌ ヒャクシャウ，百姓 n. A farmer, husbandman.

YAMATO-DAMASHII, ヤマトダマシヒ，大和霊 n. Japa-

*注　蘭学，英学に関する古書，珍本の写真版を載せている荒木伊兵衛著「日本英語学書志」にも，「日本文のよこ書き」はブラウン以前には見あたらない。（漢文で書いたものにはただ一つだけある。文化11年馬場佐十郎著：魯語文法規範）しかしこれ以前にも国語のよこ書きを試みた人―遠藤曰人（誰彼集の蘭序―文化4年）のように―があったかも知れないが，それが世間に対する影響はあまりなかったのではあるまいか。

nese spirit or temper ; viz., courage, fearlessness, and
disregard of death.

7. 落 ち 穂

わが国の英語教育の歴史を研究するものにとって欠かすこと
のできない資料を集めているのは桜井役著「日本英語教育史稿」
（昭11）である。これをほめたたえて英語教育者のバイブルと
言う人もある。今それによってヘボンに関する記述を見ると次
のようである。

「渡来の当初（安政6年1859）「アブナイ」「コラ」「シカタガ
ナイ」の三語を知るに過ぎなかったヘボンが，五年後に（元治
元年1864脱稿）和英・英和の辞書を完成した苦心と努力とは驚
嘆に価する」と述べてあるが，わたしはこの記述のうち「三語
を知るに過ぎなかった云々」が長い間気にかかっていた。それ
が最近，高谷道男氏の「ヘボン」という伝記を読んでその疑問
がとけた。それによると

「ヘボンは船中で…日本語の研究に着手していた。…ヘボンは
船中で学んだ日本語のうち『コレハナンデスカ』を成仏寺で会
うごとに連発して，日本語を学んだといわれている。「アブナ
イ」「コラ」「シカタガナイ」の三つを上陸早々きゝ覚えた。」

「三語を知るに過ぎなかった」と「三つを上陸早々きゝ覚え
た」では意味内容がひどくちがってくる。また原稿完成の年
も，その後発見された書簡から推測して「五年後」でなく，7
年後の1866年がよい。1866年9月4日付でヘボンが，辞書出版

印刷のため上海へ行くとき，米国へ書き送った手紙があるが，これこそ「語林集成」の編集の苦心とその目的を明らかにしてあますところがない。（訳文は高谷道男訳「ヘボン書簡集」による）

「日本語は西洋の諸国民には全く新しい言語でありましたし，われわれの手許には辞書も文法書もなかったので，最初から自分ですっかり研究しなければならなかったのです。特にわたしはこのことに没頭しました。七年間，単語を蒐集し，それらを分類定義し，日本語の文法上の原則や慣用句になれるように努めることのほか，ほとんど何もいたしませんでした。それは極めて，のろい，骨の折れる方法でありました。けれども，それをやり通して，初めて辞書の形でこれを出版するにいたる曙光をみたのです。これが不完全なのはやむを得ませんが，しかしこれはわれわれすべてのものに欠くべからざるものであり，この国民の利益のためにつくすべきわたしどもの将来の努力にとっても必要であったのであります。辞書編纂こそ正しい出発点と申せましょう。これなくしてまた日本語の充分な知識なくしては，聖書を翻訳する充分な資格に欠けるところが多いのです」

かくて本書はあくる 1867 年 5 月中旬上海で印刷を終了，「美国平文先生編訳：和英語林集成」として世に出たのであった。

（日本医科大学教授）

医者とデパート
——日本語の中の外国語と外来語——

上 野 景 福

傍が一しきり静かになった。余の左右の手頸は二人の医師に絶えず握られてゐた。其二人は眼を閉ぢてゐる余を中に挾んで下の様な話をした（其単語は悉く独逸語であった）。

「弱い」

「えゝ」

「駄目だろう」

「えゝ」

「子供に会はしたら何うだらう」

「さう」

　これは夏目漱石が胃の大病を修善寺で患らい危篤状態に陥ったとき，うつらうつら耳に聞えてきた医者同志の話声である。（漱石『思ひ出す事など』14章より）

　確かに医者がお互いに専門の話を取りかわすときには，‘単語は悉くドイツ語’を使い，テニヲハなどの類だけを日本語でもってその間に散りばめる，というのが珍しいことではない。ただし医者も正式の文書に病状などをしたためるようなときには，堅い漢語で構成された術語を使って学術的威容をつけるよ

うだが，これは話し言葉には向かないせいもあり，さらに患者を目の前に置いてしゃべるようなときには，じかに当の本人の耳に理解されるのは好ましくないので‘隠語’的な用法から，ドイツ語の術語を使うのである。たとえば

　　バイン（Bein「脚」）のエーデム（Ödem「浮腫」）をハウプトクラーゲ（Hauptklage「主訴」）として来院されたクランケ(Kranke「患者」)ですが，ハルン（Harn「尿」）には多量のアイワイス（Eiweiß「蛋白」）が認められ，沈渣にはローテ（Rote「赤血球」）もチリンデル（Zylinder「円柱」）もあり，アネミ（Anämie「貧血」）もヒペルトミ（Hypertomie「高血圧」)もドイトリッヒ(deutlich「顕著」)で，かなりシュウェール（schwer「重大」)なニーレンライデン（Nierenleiden「腎臓疾患」)があるようです。

　これは医師に腎臓病と診断を受けた患者が，専門医に紹介されるときに実際に聞かされた言葉である。この文の中にはドイツ語がおびただしくはいっている。術語とはいえない，形容詞（副詞）までドイツ語で述べられている。しかしこれらのドイツ語を，それこそ1語も変えずに，同じ内容を日本語だけで述べることは決してむずかしいことではない。だから，この文の中でドイツ語が使われているのは，日本語では的確に表現できないためにドイツ語が用いられたというのではなく，前述した

ようにこれらのドイツ語の単語は医師間の‘隠語’としての性格を担わされて使われているのである。たまたま漱石のような語学に堪能な患者に対しては，隠語の効能が発揮できなかったが……。

　以上の例文の中のカタカナ語は外来語（または借用語とか借入語という別名もある）とはいえない。‘外来語’に対して『岩波国語辞典』は‘外国語からはいって来て，その国の言葉のように用いられるもの’という定義を下している。だから外来語は日本語の一部なのである。ところが以上のカタカナ語——たとえば‘バイン’とか‘エーデム’など，どれをとってもまだわが国の言葉にはなっていない。要するにこれらのカタカナ語はドイツ語のままなのである。日本文の中で一時的に用いられているドイツ語の単語ということなのである。

　しかし，将来外来語に発展する可能性を，これらのカタカナ語が内臓していないわけではない。外来語もすべて初めはこのような外国語の状態から出発したものだからである。

　現在カタカナ語がもっとも氾濫しているのは，医師相互の話し言葉を除くと，デパートの世界だろう。

　　ダイナミックなデザインで　トロピカルムードあふれるレジャーウエアをはじめ　装いにシャープなポイントをつけるアクセサリーを……（横浜高島屋‘雑貨ア・ラ・モード’案内広告，1963 年 5 月）

伊勢丹特選の夢のランジェリー・ショップです。バニティ
フェアを中心にした，ハイクラスな輸入品を，豊富にコレク
ションしています。…デラックスなプランはこのコーナーを
ご利用ください。（伊勢丹‘コンサルティングセール，　2階
ファンデーションショップ’案内広告，1965年10月）

　これはどちらもダイレクト・メールで郵送されてきた広告で
ある。前に引用した医師の紹介の文と比べてみてカタカナ語の
散りばめ方が実に似ていることは意外なほどである。そそっか
しい読者が，両者をただ一瞥した程度では，どちらが医師のも
のでどちらがデパートの文か，取り違えても不思議ではない。
　しかしカタカナ語の用法の点では，この両者の間に大きな違
いが見られる。まずデパートのカタカナ語は，医師の場合と違
い，決して隠語の性格を持っていない。医師はこの場合患者に
通じない用語を特に使うのだが，デパートが顧客に理解できな
い文句を作ったのでは広告の本旨にもとるからである。ただし
この‘理解’という点には問題があって，顧客は百パーセント
の理解はしていないのだが，またそれがデパートの狙いでもあ
るようだ。それは一体どういうことだろう。
　デパートのカタカナ語は大体において外来語である。たとえ
ば上に引用した文中の‘デラックスなプランはこのコーナー
を’の三つのカタカナ語はいずれも日本語の中に何年か前から
取り入れられて使われている実績のある外来語である。少し丹

念に新聞・雑誌に目を通していれば，これらの外来語は自然に修得されている範囲に属している。しかしそのような外来語だけを駆使することではデパートは満足しない。

かつて勅語とか，政府の告諭の類とか，軍部の文書などには，いかめしい漢字とむずかしい漢語が綺羅星のように並んでいた。これを読んでもらう相手のペースなどにはお構いなしに，むずかしい表現形式で威信が示せたという自己満足感に陶酔していた。裏から言えば，相手に劣等感を植えつけて喜んでいたのである。

一般に常用されている外来語だけを使ってデパートが広告文を綴れば，これはごく穏当なことで何も問題にならない。この場合，広告の内容は抵抗なく顧客の頭の中にはいってしまうので大いに結構なはずであるが，あまりに平坦過ぎて印象が希薄になることが怖れられる。そこでデパートでは外来語のほかに，耳馴れない外国語を適当に（あるいは不適当（？）に）挿入して，ある程度の抵抗感をそこに期待する。ただし抵抗感が大き過ぎては広告の目的に反するから，その呼吸にはいつも細心の注意が払われているようである。ここに引用した例文では‘トロピカルムード’とか‘バニティフェア’がそれに当る。これらを素直に理解するには，ある水準以上の英語の知識が必要である。おそらく一般の顧客が，この文句をつきつけられて，すぐその意味を明確に摑むとは思えない。いや，摑めないという計算から，これらの文句が登場したのだろう。

これらの文句にぶつかったとき，顧客は一瞬とまどうのである。はっきり理解できない文句だからである。そしてちょっぴり劣等感を覚えるのである。この‘ちょっぴり劣等感’というのが社会心理の上では大きな効能をもたらすものらしい。それが何か一段優れたものらしい，という感じだけは間違いなく心に残るので，わからないながらも，妙にこれに引きつけられるのである。そして背のびしながら，それを追求する。——戦前の勅語や政府・軍部の文書にむずかしい漢語がわざわざ挿入されていたのと，デパートが外来語だけでなく，不可解な外国語を故意に挿入するのとは，かなり同じ発想がそこに窺えるのである。

　化粧品や服飾用品などの中には，日本語の名称が確立していないので，もっぱら外来語を使わなければ用が足せないものが少なくない。たとえば‘クリーム’，‘ローション’，‘ネクタイ’，‘カーディガン’の類がそれである。しかしデパートの案内広告文の中の外来語は，そういう止むに止まれずして使った場合だけではない。立派に日本語で言えるところを，無理に日本語を使わず，外来語を意識的に動員した跡が歴然としている。‘トロピカルムードあふれる’と言わずに，‘熱帯の気分あふれる’と言ったのではどうしていけないのだろう。‘高級輸入品を，豊富に集めております’で立派に通じるのを，‘ハイクラスな輸入品を，豊富にコレクションしています’と書くのは何故だろう。

カタカナ語には欧米的な雰囲気がともない，垢抜けのした感じを読者に与え，同じ内容でもカタカナ語で表現すると，一部（あるいは大部分）の人々からは後光がさして受けとられるのである。

　　横文字というのは不思議なもの。パートタイマーといえばモダンな感じがする。なんのことはない。臨時雇いの一種だが，「奥さま，どちらへ」「ちょっとパートへ」とくると，不思議と聞えがよい。（『朝日新聞』昭和40年8月22日）

　だから外来語も使い古して後光が鈍ってくると，別の外国語を新たに見付けてきて，これに交替を命じる。わが国では往々にして英語からの外来語を棄てて，フランス語から新たに供給をあおぐことが多い。たとえば，‘お誂え服’とか‘お仕立て’という立派な服飾用語をやめて，‘オーダー・メード’（これは英語の要素を使った日本産の言葉）としたが，これに有難味が薄れてくると今度はフランス語から借りてきた‘オート・クチュール’に置きかえてしまう。同様に‘既成服’といったのでは購買客の気持ちを引きたたせないと思うと，英語からの‘レディ・メード’に塗りかえる。しかもこれにも馴れてくると，フランス語の‘プレタ・ポルテ’を借りて後光の更新をはかる。

　これはアパートの名称の推移にも同じ現象が認められる。徳

川時代から明治・大正までは‘長屋’という表現が愛用されていた。これが大正の半ばに，当時としては新式で豪華な洋風のアパートメントが建築されたとき，庶民的雰囲気のまつわりついた‘長屋’では面白くないので，アパートメントをそのまま借用し，後には短縮して‘アパート’となった。そのころアパートという言葉には優雅な生活と優越感に満ちた様式が籠っていた。ところが戦後アパートが急激にふえ，‘アパート’という名称からは後光がまったく消えてしまった。そこで後光のある名称探しが始まった。日本製英語の‘コーポラス’，略して‘コーポ’，フランス語からの‘アビタシオン’，‘シャトー’，‘ビラ’，それに英語かフランス語か国籍不明の‘マンション’に‘レジデンス’などと勝手な命名が行なわれ，その居住者は自分の住んでいるのはアパートなんていうケチな代物では断じてないぞ，という優越感におめでたくも浸っているのだが，要するに実質的にはアパートなのであり，洋式長屋であるのには間違いない。

　外来語には，このようにわれわれの虚栄心につけこんではいりこんでくる場合が少なくない。しかもつけこまれているのはこれだけでなく，懐にも同時につけこまれていることを忘れてはいけない。

（東京大学教授）

146

異　国　人　物

魚　返　善　雄

　NHKの国際局といえば，機構的には「日本放送協会」の一部局であるけれども，短波放送によって直接に七つの海を結び，特に日本語と英語によるGS（ジェネラル・サービス）放送は四六時中世界の聴取者に呼びかけている。まさに日本の表口に開いた大きな窓の一つである。NHKが発足した1925年からわずか10年後の1935年には，もう愛宕山の上から海外放送の電波が出されていた。

　この職場は，はじめは国際「課」と呼ばれ，内外人嘱託を合わせても４，50名の比較的小さな世帯に過ぎなかったが，これが期待された以上の効果を発揮したことは，例の「東京ローズ」事件によっても知られるであろう。そればかりでなく，ここからは実地の語学に練達し，そのうえ学問や芸術の世界でも一家を成す人物が数多く現れた。英語だけに限ってみても，「カムカム英語」の平川唯一氏や「八の字ヒゲ」の五十嵐新次郎氏などはそれぞれ異彩を放ったものである。

　いまや戦後も20年を経過し，あと数年で1970年という重要なポイントにさしかかろうとしているが，アジアの情勢が日ましに深刻さを加えている現在，一部の識者の間ではNHKが日本

語と中国語による第2のＧＳ放送を持つべきだという意見も強くなってきている。

　アジアに国する諸民族のなかでは，日本はなんといっても工業化された近代国家であるから，言語や風習の非常な相違にもかかわらず欧米諸国民にさえ日本の実情はかなりよく知られている。ところが他のアジア諸国となると，老大国の中国は例外としても，いわゆる後進国あるいは未開発国として，とかく理解があとまわしにされるばかりか，時には誤解のまま放置されることにもなる。ニューギニア，ネパール，ブータン，カンボジア，ラオス——これらの諸地域について日本人一般がファースト・ハンドの情報を得たのはごく最近のことで，それまでは主として欧米人の書いたものを受け売りするというありさまであった。しかし，実地調査の得意な欧米人にしても，アジアの古い面と新しい面の両方にわたって，隅から隅までくわしく知っていたわけではない。

　日本人のように「二世紀半もの間まるで別の星に住んでいたような民族」（ウェルズのことば）の場合には，海外の遠い国ぐにや小さな民族のことに恐ろしく無知であったのも当然であろう。正徳2年（1712）に大阪城の医者寺島良安のあらわした『和漢三才図絵』105巻は当時の百科辞典の1種で，そのお手本である明の王圻の『三才図絵』と同様，ほぼその時代の人たちの知見を示すものといってよかろうが，なかでもわたくしなどにとって最も興味のあるのは「巻13，異国人物」「巻14，外

夷人物」のところである。どういうものか木版本のこの部分だけが戦災にも焼けずに残っているところを見ると，わたくしも「大東亜共栄圏」時代に持ち歩いて楽しんでいたものらしい。先日，ＮＨＫのアジア部で副部長をしている胡桃沢さん（中国人ではなく歴とした日本人で，沢の字が暗示するように信州の人，クルミサワと読む）が，「この本はおもしろい」といってわたくしに示されたのが，なんと『和漢三才図絵』の縮刷版であった。インターナショナル・マインドを持つ人たちは，やはりこういう本に興味を感じるからでもあろうか。

この本の「異国」の部では，まず「中国・中華・支那，和名もろこし」を「震旦（しんだん，唐音チンタン）」として掲げてある。さし絵も「衣冠文物」の国らしく大人の風格に描かれている。次は「鮮卑，雞林」の「朝鮮」で，「東方日出づるの地，故に名づく」となっている。それから朝鮮の一部であった「耽羅（ちんら）」，北西方向にあたる「兀良哈（おらんかい）」の二つを軽く扱ったのち「琉球」のことを述べている。これは朝鮮と同格の文化国家扱いで，歴史的記述のほかに言語の見本まで出ている。そのあとが「蝦夷（えぞ）」別名「日高見の国」であるが，また「東夷」となっているのはおもしろい（荻生徂徠は日本人である自分を東夷と考えていた）。

「韃靼」（だったん）というのは「蒙古，北狄」で，夏時代の「獯鬻」，周の「玁狁」，秦・漢の「匈奴」，唐の「突厥」，宋の「契丹」，明の「韃子（ダツ）」のことだと述べているのは大ま

かである。古代の「粛慎」が「女真」で，これは満州族の土地。「国姓爺」で知られた「台湾」は，「東寧，塔曷沙古（高砂）」とあるが，見出しの文字は「大宛（たいわん）」になっている。「春は夏の如く，冬は秋の如し」という描写は適切である。台湾の次が「交趾（安南）」，そのあとが「東京（トンキン）」であるが，「安南は古代の交趾」「東京は昔の交趾の都」と解説している。「みな昔は蛮夷，今は中国に入る」とか，「中華の文字を用い，経書を知る」などと，いささか中華思想が鼻につくけれども，「安南には日本人が昔住み，いまもその子孫を見かける」などと愉快な解説も出てくる。

　以上が「異国」で，今日的な意味でいえば「隣接国」ぐらいのところであろう。そのあとの巻に出てくる「外夷」となると，これはもう今日の国際連合以上で，なんと172カ国もある。「占城（ちゃんぱん）」「柬埔寨（かぼちゃ）」「満刺加（まろか）」「暹羅（しゃむろ）」「呂宋（るそん）」「老撾（ろうた，ラウコウ）」「阿媽港（あまがわ）」などを「異国」でなく「外夷」として扱い，「以西巴爾亜（イスパンヤ）」「爪哇（じゃわ）」などと同列にしたのも，深い理由があってのこととは思われない。中国版『三才図絵』の記事を信用して，占城の属国に「賓童竜（ひんとんろう）」があり，「仏書にいう王舎城がこの地である」としたり，「咬𠺕吧（じゃがたら）」を「爪哇国の内」としながら別に一国として掲げるなど，地理書にしてはずいぶんノンキなものである。しかし，ジャガタラの物産を列記したな

150

かに，「空青（ぐんじょう）」「栗鼠（リス）」「巴旦杏（アメンド
ウ）」「番木鼈（マチン）」「食火鶏（カヅワル）」「阿剌吉（アラ
キ）酒」「布良須古（フラスコ）」などの混っていることは，外
来語研究の点からも見のがせない。

　ジャガタラといえば「お春さん」以来の遠い遠い異国である
から，そのほかの国に関する記事が怪しくなってくるのも無理
からぬことかもしれないが，いきなり「飛頭蛮（ろくろくび）」
の国が出てきたのでは，いかに百科辞典の読者でも面くらわな
いではいられまい。「飛頭蛮」の国というのは中国の古い民話文
献である『捜神記』や『太平広記』さては『南方異物志』など
から取られたもののようで，その国の人すべてというのではな
く，もちろん稀な例に過ぎないのではあるが，夜中に首が体か
ら離れて夢遊状態となり，虫などをたらふくたべて帰ってくる
という気味の悪いはなしである。こんな荒唐無稽なはなしを平
気で取り入れた寺島良安という人の良識を疑いたくなるわけで
はあるが，もともと漢土の古典というものは，極めて合理主義
的・良識的な記事と相並んで，とうてい箸にも棒にもかからな
いような荒唐無稽な記事を含んでいることは，古代の地理書と
されている『山海経』の例を見てもわかる。そんなだから，た
とえば「淳泥」（ボルネオ）のあとのほうに中国古代神話中の犬
である「盤瓠」（ばんこ）の国が出てきても驚くにはあたらない
（滝沢馬琴の「南総里見八犬伝」も，もとはこの種の神話にヒ
ントを得たものであるが，それでも日本の読者たちは手をたた

いて奇抜さをほめたたえたのであった）。

　ロクロクビの国よりももっと奇抜なのは「狗国」（くこく，犬の国）である。男の体は犬で裸体，ことばは犬のほえる声のよう。ところが女たちはちゃんとした人間で中国の言語を話すという。まことに皮肉なシチュエーションで，男女の差別をこんなふうにすることはジョナサン・スウィフトも思い及ばなかったであろう。わが東洋の百科辞典編集者（原版『三才図絵』の編者王圻）は，「羽民」（つばさのある人間の国）「文身」（いれずみした人間の国）「大漢」（大男の国）等の諸国を紹介しているが，人間の寸法についてはスウィフトほどに数学的でなかったせいか，ブロブディングナッグのあの豪壮な記事にお目にかかることはできない。

　われわれが日本の別名と教えられてきた「扶桑」は，所在不明の東海中の一国であり，「西洋」というのもインドだかアラビア・アフリカのどこだかわからない。（もともと「西洋」とは中国からいって西にあたる大海のことで，今日的意味の西洋よりはいくらか身近であった。明の宦官鄭和が軍艦をひきいて遠征したのはインド洋であるが，「西洋遠征」として大衆にもてはやされた）。「西洋」とか「印都丹」（ヒンドスタン？）あたりはまだ理にかなっているが，「穿胸」（胸に穴があいていて，そこに棒を通して人にかつがせる国）「交脛」（足が生まれつきクロスしている人たちの国）「無腹」（男たちにハラワタがなくて，たべた物がすぐ通過してしまう国！）「聶耳」（せつじ，耳が長く

て腰まで届き，手で支えて歩く人たちの国）にいたっては，ま
さに『ガリバー旅行記』を上まわる想像力で，こうなっては
「天地人」三才のラチからもはみ出してしまう。

　「榜葛剌」（ベンガラ）「莫臥爾」（モゴール）「聖多黙」（サン
トメ）「波斯」（ハルシャ）「晏陀蛮」（アンダマン？）「崑崙層
斯」（くろんぼう）──「クロンとは崑崙の唐音がなまったのだ」
と註記してある──「天竺」「干闐」（うてん）「大秦」などの国
名は近世の東西交渉史と結びつけられるので，まだ筋が通る
が，それらと並んで「道明」（衣服をつけた人を笑う国）「小人」
（身長九寸しかなく，海鶴にたべられる危険があるので外出時
には群をなして歩く国）「君子国」（虎をお供にしている国）が
出てきたのではまったく閉口するほかない。

　それでは，この『和漢三才図絵』という本はまったく出たら
めかといえばそうでもなく，たとえば「回鶻」（回紇，ウイグ
ル）「払菻」（大秦の別名，またフランクの音訳ともいう）」，「西
番」（また吐蕃，鬼方，昔の犬戎）「撒馬児罕」（サマルカンド）
「哈蜜」（ハミ）「亀茲（きじ，また屈支）「烏孫」「天方」（また
西域，天堂）など，東西交渉史上に実在の名称として比較考証
を要するものも含まれている。ただ，それらが「一目」（ひと
つ目の人間の国）「三首」（頭の三つある人間の国）「三身」（体
の三つある人間の国）などと，古代中国の『山海経』や『捜神
記』，さてはその後継者である明版『三才図絵』の編者と同じ種
類の頭脳の産物と考えるほかない滑稽なシロモノと抱き合わせ

になっているから困るのである。

　思えば日本人の文化遺産ぐらい複雑なものは珍しい。遠く『古事記』『日本書紀』の時代までさかのぼって見ても，この民族の文化はもはや高度に複合され化成されたものであることがわかる。大陸の言語を学んだ日本人でさえも，ある特定の日本語がはたして純粋なやまとことばであるかどうかを断定する自信を失うことがある。そこには有史以前の相当に長い期間の文化交渉ということも考えられるからである。まして儒教その他の漢民族文化の渡来，仏教の伝来に加えて，近世以降の西洋文化の渡来ともなれば，日本人の頭の中に火山灰のように降り注ぎ，ローム層のようになったコトバ，コトバコトバの堆積は，それを掘り起こす人びとに絶望感に近いものを押しつけるであろう。

　それにもかかわらず，このコトバの土壌を掘りつづける人は多い。掘るがよい，掘るがよい。掘ること自体も楽しみであろうし，掘る間はせめて物を思わないであろうから。

（東洋大学教授）

パーマさんのことども

長　沼　直　兄

　たしか1921年の秋の終りごろだったと思う。そのころ私は本
郷の追分町に住んでいた。隣りが教会で，3人の外人宣教師が
住んでいた。ある日その宣教師の1人が自分の通っている日本
語の学校——日語学校といっていた——の教師の1人が病気
で，教師が足りなくて困っているから，1週間ばかり午前中だ
け手伝ってもらえまいかという。私はそのころもう学校は出て
いたが，勉強中で暇があったから，あまり考えもせず，簡単に
引き受けてしまった。

　翌日学校へ行って校長や主任の教師に会い，教室に出たが，
なにしろ初めてのことなので，教えられた通りのことをするの
が精いっぱいであった。1週間はたちまち過ぎた。しかし病気
の教師はまだ治らない。校長はホームズというアメリカ人であ
ったが，非常に日本語に堪能な人であった。10日ばかりで私が
暇をもらおうとすると，学校の窮状を訴えてもう少しもう少し
と引っ張って，仲々やめさせてくれない。私もどうしても止め
なければならないほどの急用があったわけではないし，実際困
っている学校を見殺しにもできないので，つい延び延びになっ
てしまった。しかしあまり宙ぶらりんでいるわけにも行かぬの

で3カ月か4カ月の終りに止めようと校長に申し出た。

その時，学校では Thomas F. Cummings の "How to Learn a Foreign Language" に従って新訳聖書のヨハネ伝第4章に基づいて，これを暗誦する方法と小学校の国語読本を使っていた。教室内では英語を使わず，専ら日本語のみによる方法をとっていたが，教授法がまずいため，生徒によく分らず，教室内で生徒の私語しているのを聞いていると，まるでトンチンカンな理解をしている場合もあって滑稽であった。しかし教師たちの大部分は英語の話し言葉に通じていなかったためか，まったく無関心のようであった。それに大のおとなに日本の7，8才の子供用の国語読本を用いるのも，私には合点のいかないことであった。

しかし新米の，しかも腰掛けの教師として，これを変えるようなことはできもせず，ひたすら先輩のいう通りにしていた。だがそのうちに教えることに興味を持ち始め，許された範囲内でいろいろ試みてみると生徒もよく反応するので気をよくしていた。

ある日ホームズ校長から今度パーマという人が英国から来て語学教授について講演をするから，それを聞きに行ってくれないかという。聞けば校長が自分で行きたいのだが，所用で行けないし，他に適当な人が居ないので，ぜひ行って講演を聞いてきて欲しいというので，渋々ながら出掛けた。会場は東京高等師範学校だったと思う。校長の手紙を携行したので，講演の前

にパーマさんに手渡した。パーマさんは私を本格的な日本語教師と思っていろいろ質問されたので、自分は全くの駆け出しで何も知らぬのだと言ったが、そんなに謙遜しなくてもよい、みんな知らないのだからというような調子で本気にしてくれなかった。

恐らくその次の講演会の時だったと思うが、パーマさんが教授法の講演の中で間答法の実演をやりたいから教師の役をやってくれ、自分が生徒の役をするし、一切の準備をするからというので、無理やりに引き受けさせられてしまった。

こんな風にしてパーマさんと懇意になり、パーマさんの下宿——その時にはまだ奥さんが来ていなかったのでパーマさんはある家の2階に居た——へ行っていろいろ話し合った。

食事を共にしながらパーマさんはいろいろの質問をした。日本語の音韻、アクセント、文法、漢字などに就いてゞあった。しかし、その質問は新米の教師で、しかもその方面の知識の乏しかった私には満足に答えられないようなものであった。いつも、この次までに調べてきますというのが極り文句であったような気がする。

こういうことが何回も続くと、自分でも恥かしくなって、図書館へ行って語学教育や日本語に関する本を借り出し読み始めた。その中にはパーマさんの著書もあった。

こんな工合で私の語学教育に関する興味が増すにつれて学校の授業も面白くなり、もうしばらく続けてみようという気持ち

になった。またパーマさんと話しても，知らない，知らないで押し通さなくてもよくなり，共通の問題について真剣に話し合うこともでき，親密の度を増していった。

一方，日語学校の方ではホームズ校長が，従来のやり方に従う部の外に，パーマさんの考えによる新らしい教材によって教授する部を作って試験的にやってみたいというので私にも協力を求められた。こんなことで，パーマさんの意見や助力を受けることが頻繁になり，パーマさんとの接触はますます緊密となった。

そのうちにパーマさんが日本語を習いたいと言い出した。しかしパーマさんは自分は今非常に忙しくて勉強する暇があまりないから，真に役に立つような重要事項だけを教えてもらいたいという条件をつけた。これが契機となって，私は語学教育において何が重要か，語彙や語法の提出の順序などについて真剣に考えるようになった。

いよいよパーマさんへの個人教授が始まった。私はその日その日の教材を作って教え始めた。しかし授業の後で，パーマさんは，教材の不備な点や不完全なところを指摘され，懇切にその理由を説明し，問答法のやり方に就いても，丁寧に指導された。全く教授法や教材の作り方に就いて私が個人教授を受けたのであった。

これはそれからずっと後のことになるが，秩父宮が英国へ留学されるについて，パーマさんが英語を教えられることにな

り，私にも手伝うようにとの依頼を受けた。授業のある前日，打合せのためパーマさんの家へ行ったところ，パーマさんからタイプした部厚い教材を見せられた。私が不用意にもこんなものなら老練なあなただから準備などしなくてもよかろうにというようなことを言ったら，パーマさんに授業の前に準備をしないような教師は失格だと叱られた。

　翌日パーマさんと同道して，赤坂の御殿へ伺った。授業はパーマさんが先だったので，私も陪席したが，その授業振りには舌を巻いた。次から次へと立板に水を流す如く少しのよどみもない。前日あんなに苦労して書いた原稿などはほとんど見もしないで，授業を進めていく。5分か10分ぐらいで練習のタイプを変えて少しの遅滞もない。Questions and Answers も Homogeneous groups あり Heterogeneous groups あり，Sequential Series ありという工合で実に鮮やかなものであった。これによって問答法による口頭教授法が如何にあるべきかということを目のあたりに知らされた。

　話は前に戻る。1923年に関東大震災が起こり，日語学校は神戸へ移転することになったので，私はこれを機会に日語学校を辞した。これで私と日本語教授との関係も絶たれることと思われた。するとある日パーマさんから速達が来たのですぐ行ってみた。パーマさんはいつもの通りいろいろの問題を出して私の意見を求められた。そのうちにある問題に就いてパーマさんと私との間に意見の相違が起こった。私はできると言い，パーマ

さんはできないという。するとパーマさんから，君は今実行できると言ったが，もしそういう機会があったら，必ずできるか，又やってみる自信があるかというような駄目押しがあった。私も騎虎の勢，もちろんできると言い切った。するとパーマさんがやおら懐から取り出したのは米国大使館からの1通の手紙で，新来の米国将校3名に対する教師推薦の依頼状であった。寝耳に水の話であったが，大きな口を利いたあとで否とも言えず，1年間の約束で引受けて帰った。これが私の運命を決してしまい，一生を日本語教育に捧げることとなった。

米国大使館で陸軍武官に会い，新来の将校にも紹介された。教科書は Lange の Colloquial Japanese と小学校の国語読本であった。がっかりしたが仕方がない。早速パーマさんの所へ行って，つまらぬ仕事を引受けたというようなことを言ったら，パーマさんはそんならそれに代る立派なコースを作ったらいいじゃないかというようなことを言われた。幸い学生は後に生涯の友人となったような立派な人たちだったので毎日の授業が楽しく，私も熱心に教え始めた。

1年はたちまち経ったが，先方の熱望もあり，又海軍も——後には外交部も——参加を希望したことゝ，いゝコースを作ろうという熱意を持ったため更に契約を延長することゝなりとうとうミイラ取りがミイラになってしまった。

ちょうどパーマさんも，中学校のリーダーの編集を考えておられたので，パーマさんからは多くの教示を受けたし，こちら

からはリーダの材料になるような資料を提供した。Standard Readers の中にある那須与一の話などはその1例である。

さて日本語のコースを作ろうとすると，どうしてよいか分からない。第1は語彙の問題だが，成人用語彙の調査などのなかった時だったので参考になるような文献はない。やっと丸善でThorndike の "Teacher's Word Book" を捜し出し，これを元にして語彙の選定をした。

次は構文だが，もちろん頼るべき資料はなかったので，国語読本その他の文献をあさって大体を決めた。パーマさんからは問答法を採用するとすればベルリッツの教科書を参考にするようにとの注意を受けた。

第3は漢字の問題であった。小学校の読本は子供向きだから金魚だの蛙だのというのが出ていたがこんなのは外国人の成人学生には重要ではない。いろいろ調べた結果，大蔵省印刷局で，議会の速記録に出た漢字の頻度を2回にわたって調査したと聞き，同局の猿橋という人からその表を借りてきて，これを元にして，これに朝日新聞社の漢字表，築地活版所のポイント活字重要字表の外 Chamberlain, Strong などの著書に現われた漢字などを参照して大体の表を作り，なるべく頻度の高いものから教科書に出すようにした。

こうして作った標準日本語読本の原稿は実地に使ってみて，何度か書き直したので，実際に印刷されて本の形になったのは1931年でパーマさんが序文を書いてくれた。

この教科書7巻は戦前は米国大使館留学生の全部と，英国大使館，ドイツ大使館の留学生の1部にしか使われなかったので使用の範囲は極めて狭かったのであるが，戦時中に日本占領要員養成のための諸学校において教科書として使用されたため，思いもかけず世界各国に拡がることゝなった。後年日本文学の翻訳者となった Seidensticker 氏や Donald Keene 氏などもこれによって日本語を習ったと言っていた。

　殊にこの教科書の入門期の補助練習として作った Substitution Tables はパーマさんの考えに基づくものだが，これの使い方から Pattern practice に発展していったことは興味のあることである。

　外国人のための教科書を書いてみると当然外国語との比較研究の必要が痛感された。そこでパーマさんにこの方面の研究を進めるように進言した。これに対しパーマさんは自分もその必要は十分認めるが，今の自分の日本語の程度では自分はその任ではないし，それを始める前に自分のすべき仕事が山ほどあると言われた。その山ほどある仕事のうちに辞書の編集があった。その辞書の計画というのは従来のようなものでなく，しっかりした文法書とその辞書さえあれば教師がなくてもすっかり分かるような画期的なものを作るにあった。そこで10年計画でその材料を作ろうということになった。

　先ず第1に語彙の選定から始めようということになって，たしか1926年の夏と思うが，軽井沢でパーマさんと，現早稲田大

学語学研究所長の宮田斉教授と私とで1,500語ばかりを選んで，帰京後，研究所の理事であった故石川高師教授の批評を仰いで，更に多くの語彙に及ぼすことにした。これが後に研究所が出した " The First Interim Report on Vocabulary Selection" のそもそもの始めであった。パーマさんはその後 Collocation の研究やら，Construction pattern の研究をしたが，その最終の目的はこれらを総合した外国人用の辞書の編集にあった。

パーマさんは多忙のため1936年に日本を去るまでに自分の手で辞書を編集することができず，総べての材料を Hornby 氏に委ねて帰国された。Hornby 氏が Gatenby 氏や Wakefield 氏の協力を得ていよいよ辞書を作ることになってからは方針も変わり Head words の数もふやそうということになったが，countable, uncountable の区別とか Verb patterns などのことはパーマさんの時の方針に従ったものである。

Hornby 氏その他の努力が結集されて **Idiomatic and Syntactic English Dictionary** の形で世に出たのは戦争の直前で，その発行については非常な困難があった。しかしあの時曲りなりにも発行できたことは英語界にとって幸いと言ってよいだろう。

（東京日本語学校名誉校長）

アナ・シー・ハーツホーン先生

一　色　マ　サ　子

　津田塾大学構内の運動場の近くに，戦時中作った3メートル位の深さの水溜があり，今は白や赤の美しい水蓮が咲いている。そのすぐ近くに，雑木林に半ば包まれて，あまり目立たないけれど，かやぶきの屋根の2間四方くらいのあずまやがあり，ゆかしい雰囲気をただよわせている。これは30年余り以前に同窓生一同がハーツホーン先生に贈ったあずまやで，構内の先生のお宅の庭にあったものを戦後ここへ移したものである。私はこれをみる度にハーツホーン先生をおもい出す。目立つことをなされず，文字通り，常にかげにあって人を助けられ，一生を津田塾のためにささげて下さった先生をおもわせるにふさわしいあずまやである。

　細くて，背が高く，少し赤味をおびた高いお鼻，美しい白髪，リスの目みたいにくりくりとして光る目の持主だったお上品な先生であった。いつも黒いお洋服または黒地に白の小さい水玉模様のお洋服以外に，私は先生のお召物を思い出すことができない。それほど先生は人目に立たないで質素ななりをしておられた。

　先生は1860年にフィラデルフィアで Dr. Henry Hartshorne

の令嬢としてお生れになったそうである。父上はペンシルバニア大学ご出身の医学者で，ペンシルバニア大学やハヴァフォード大学の教授もしておられたとか。母上は早くお亡くなりになり，先生は70才の父上とともにご来朝になられたが父上も明治30年75才でご逝去，青山の墓地に眠っておられる。フィラデルフィアの美術学校を卒業しておられた先生は其後アメリカでFriend School でギリシャ語を教えたり，Mrs. Head's Schoolで絵を教えたりしておられたが，早くから津田梅子先生とご親交があり，津田先生の招きに応じられて明治35年に再度ご来朝，塾で教えて下さり，津田先生の片腕として働いて下さったと伺っている。

　私が先生に教えていただいたのは1927年頃だった。先生は大へんなお婆さんに見えた。けれど休講の先生があれば，必ずハーツホーン先生がにこにことされて，お皺の深いお顔にもかかわらず目を輝かせて教室へいらして下さった。黒板へおかきになる絵のお上手だったこと。そしてどんな鳥の鳴声でも大へんお上手にまねをされたのに驚いたのは今でも忘れない。それから会話のノートを毎週提出させて，ご訂正下さったあの太い鉛筆のご筆跡も今でも目に浮ぶ。それ以外は私はあまり先生の御事については知らなかった。今にしておもえば，先生は学生の人気を得ようと努力したりするタイプの人ではなかったらしい。その後私は塾を卒業してから今迄の間に，ちょいちょいと先生に関していろんなことを知った。

先生はご熱心なクエーカー教徒でいらしたこと。ご自分のお名前を秘して，担任教授を通して貧しい学生に授業料をそっと与えておられたこと，学校から俸給をお受けにならないのみか，休暇でご帰米のときには，ご自分の代理をする先生の俸給として資金をおいていかれたこと，胸を病んでいた貧しい学生をご別荘においてあげたこと等いろいろと伺った。

　第2次世界大戦中，先生は米国におかえりになっていたので，塾の構内の先生のお宅に私は数名の学生と共に住んだことがあった。私が拝借したのは先生のお部屋だったが，それは二階の東北に面した6畳位の小室で，2畳くらいのバスルームがつき，日当りはよくなかった。その隣には南に面した日当りも眺めもよい10畳位の室が2つあった。1つは来客用，今ひとつは，先生とご同居して津田で教えておられた Mrs. Hall のお部屋だった。戦争前には暖房があったとは言え，先生は一番ご不便なところを占めておられたことに私は気づき，先生らしいなと思ったことだった。と同時に，南に面した室ならいいのにと当時いささか不満に思った私自身を省りみて，今でも恥じ入っている。

　昔の偉い女性によくあった気性のはげしさというものを私はハーツホーン先生に関してはきいたことも見たこともない。先生はいつも静かで，にこやかで，人のためにのみ生きておられたようだった。ごく最近になって先生が Berlitz Method をとり入れ，英語教授法に努力されたことや，日本の昔話や狂言や

謡曲の物語をやさしい英語の対話にかき直して出版しておられたのも知ったようなわけである。いつか Dr. Gerhard のおかきになった発音学の本を「これはよい本だから」と仰しゃって私に下さった。が後になって，それは先生がクラスで使っておられたものであり，先生は又新しく1冊求められたことを伺って申訳ないと思ったのも覚えている。

　夏休み中に一度葉山の先生のご別荘に招いていただいたことがあった。そのとき先生はどこにいらしたのか，とに角私1人で1日中呑気に読書をしたり，おひるねをしたりしたものだった。

　人間は常に共に住んでいる人，特にお手伝いさんには一番よく欠点がわかるものだと思う。ハーツホーン先生のお手伝いさんが，よく先生のお荷物の虫干しに来て，話したことがあったが，この人は，「先生にもう一度お会いしてから死にたい。」と言って，よく涙を流していた。私がはじめて渡米することになったとき，津田塾の電気屋のおじさんから，大工さん，植木屋専門の雇員の人々が「アメリカでハーツホーン先生に会ったらよろしく伝えて下さい。」と口々に言ったのには驚いた。これは先生のご立派さを力強く証明していると思う。人間はよく人のことを言うものであるが，私はいまだかつてハーツホーン先生の悪口を言う人に1人も出合ったことがない。いかに秀れた人でも，自我が強かったり，利己的であったり，それのみか人に迷惑を及ぼすことがかなりあることを，私は年をとるにつれ

てつくづくと感じるようになり，自分のことよりも人のことを先に考える人は実に尊く，常に尊敬申し上げているわけであるが，ハーツホーン先生も稀に見る尊いお方だったのだと私は思う。

　先生は96才でフィラデルフィアでご逝去になったが，私は90才頃の先生にお目に懸った。フィラデルフィア郊外の German Town の大きな養老院におられた。大分物忘れをなさっておられ20分前に仰しゃったことも忘れられるとのことだったのに，ある日突然私のいた Bryn Mawr College の Graduate Center へある卒業生とともに来て下さった。私は驚いてしまった。舎監も驚いて，常にはつかわないエレベーターを動かして下さった。そして私にとっては光栄至極にも，先生は私の室へいらして下さった!!　私は津田塾の新しい写真や，年をとられた先生方のお写真をお目にかけ，「先生のお好きなのをどれでも差上げます。」と申し上げると先生は 3，4 枚紙に包んで嬉しそうにハンドバッグに入れておかえりになった。あのとき先生の言われたお言葉，「津田は小平へ移ってよかった。理科ができて本当によかった。よかった。」とのお言葉はいつまでも忘れられない。先生のみたまは常に津田塾とともにあるのだと私は信じている。塾の小講堂のあの上品な先生のお姿を眺めるとき，あずまやをみるとき，そして先生のお作りになった校歌，*Alma Mater* をうたうとき，特に "……though parted far we be, thy name shall still our bosom thrill with pride and loyalty," とうたうとき，私はいつも，太陽のような先生，空気のような先生，つまり大恩人であるのに，否，大恩人であるがゆえに，その有難さが目立たない，そしてあまり世間には知られていない本当に尊い Miss Anna C. Hartshorne を思って胸が一杯になり，わがままな私自身が反省させられ，浄化されるような気がする。表面に立って名をあげる人よりも，ハーツホーン先生のような方が，人類の幸福をつくるのに，そして人を教えるのに，一番大きな役割をなさる方と思われる。津田塾関係者一同は，先生に心からの感謝をささげ，先生のご逝去とともに，校舎を Anna C. Hartshorne Hall と名づけた——1923年の大震災で麹町の校舎が灰となってしまい，横浜港にまだ煙がくすぶっているとき，60才でいらしたハーツホーン先生はお1人でご渡米され，あるときは塾のため寄附金募集の講演会をされ，あるときは留学中の卒業生を集めて日本劇をして利益をあげ，といったふうに塾の校舎建設のために募金され，そのため，現在の小平市の校舎，寮，教師館が出来たということを塾関係以外の方々にもご存じいただきたいと思うことしきりである。大きなお仕事をして，私共女性のためおつくし下さった塾の創立者津田梅子先生とともに，その片腕としてしかもかげの力となって日本女性のためにおつくし下さったハーツホーン先生のこともいつまでも私たちは覚えていたい。

（津田塾大学教授）

ロイ・スミス先生

三　戸　雄　一

　1960年は日米修交条約締結百年にあたるところから，日本の教育に貢献したアメリカ人が表彰されたが，その中に， Galen Fisher, William Vories, Roy Smith らがはいっていた。フィッシャーは長く日本 YMCA の名誉主事として社会教育に尽しただけではなく，原典による熊沢蕃山の研究者としても知られていたが，さらに日本の英語教育の陰の功労者でもあった。というのは，彼は当時の文部大臣と親しかったところから，その依頼を受けて，若いアメリカ青年を英語教師として日本に迎えた。しかもその数，百人に及んだほどであったからである。何しろ，明治初年の頃はりっぱな人物がきて，英語を教えたけれども，そのうちに，波止場に上陸したまま居ついた下級船員とか，或はいかがわしい人物が，外人崇拝のさかんな当時の日本人にうまくとりいって，変な英語を教えているという例に困りきった文部大臣は，特にりっぱな青年をアメリカから招こうと考えたらしい。大都市のYMCAはどこでも，創立当時から英語学校を開いたもので，フィッシャーは，石川林四郎らと協力して，東京YMCAの英語学校に力を入れたのは言うまでもなく，後年名をなした日本人で，若い頃，東京YMCAの英語学

校に席をおいたという例が少なくない。フィッシャーの世話で日本に来た若い英語教師は，戦前のアメリカ人教師の間ではＹＭＣＡ teachers と呼ばれていた。フィッシャーの眼識が鋭かったためであろうが，彼がよんだ青年教師はいずれも教養のある人材であったということである。たいていは，数年で引きあげたらしいが，中には生涯の大部分を日本で過ごし，日本を愛した人々が少なくなかった。先年亡くなった建築家のヴォーリス氏とわがロイ・スミス先生はその中の代表的人物である。「わが」というのは，私は神戸高商時代に親しく先生の教えを受けて以来，今日までずっと先生に接してきたからである。

　スミス先生は1878年アメリカのイリノイ州に生まれ，去年の６月には日本流の米寿の祝賀会が催された。1902年先生はイリノイ大学を出た翌年フィッシャーの斡旋で日本にやってきて，山口県長府の豊浦中学に勤めた。ヴォーリス氏が滋賀県の八幡商業にやってきたように，ＹＭＣＡ teachers は中小都市の学校にやってきた人が少なくなかったらしいが，スミス先生もその例にもれなかった。先生は１年ほど神奈川県立第三商業と東京の大倉商業で教えた外は，ほとんど西日本ですごされた。

　1906年一旦帰国し，シカゴ大学で経済と法律の，ニューヨーク大学で哲学と商業学（commercial science）の，それぞれM. A. をとり，３年後の1909年に神戸高商に赴任された。名校長と謳われた水島鉄也氏と肝胆相照し，以来今日まで教壇に立っておられるから，その数え子は全国に散らばっていて，法

務大臣石井光次郎，　元外交官天羽英二，　学士院会員高垣寅次郎，　一橋大学元学長中山伊知郎，富士電機元社長和田恒輔，出光興産社長出光佐三の諸氏を初め，著名な経済学者や実業家の中に先生の教えを受けた人が少なくない。88才といえば，日本人でも教育界では珍しいが，国立大学の外人教師としては，先生がただ一人である。どうしてこれだけ長く同じ学校にとどまることができたか，その理由はわからない。先生が健康に恵まれていることも一因であろう。しかし，それよりもむしろ，先生の学殖と人柄によることは先生を知るものの等しく指摘するところである。

　商業用文一つとってみても，この半世紀の間には大変な変り方であるが，世界情勢が革命的な変化をとげ，それに即した経済人を育成することを目的とする学校の教科内容もこれに応じてどんどん変ってきた。普通なら老齢によって時代おくれになるところであるが，先生は不断の精進によっていつも時代とともに歩いて来られたのである。

　また先生はキリスト教徒で，幼少の頃から篤い信仰がその生涯を貫いているため，先生に接する者は，誰でも深い感銘を受けないわけにいかない。先生の私生活は全く宣教師のそれと変らず，ほとんど周囲の人々への奉仕に明け暮れしているといっても過言ではない。例えば，先生は戦前から愛隣会というあるミッションの社会事業団体を助けておられる。毎週毎月定期的に催される集会に来る若い人々の指導に当って来られた。しか

もその経費は先生の収入から出ているという。

　先生は口癖のように，自分は明治36年秋のある日，横浜上陸早々一学生に親切にされて以来，日本人から受けた親切の負債を払わなくては，と言っておられるように，先生は日本の青年を愛し，その世話をすることを天職と考えておられるようにみえる。それで先生のお世話になった人々は数えきれない。ことに海外へ留学したり，出張したりした者はたいていご厄介になったから，先生のところには日本人の出入りがたえず，また教え子たちの会合にもよくひっぱり出される。

　先生は英語教師としてはパーマ博士の所説に共鳴されたらしく，同博士の主宰する研究所（当時文部省内にあった）の創立当初の会員名簿の中に，先生の名前がのっていたという。そして，戦後同研究所の大会が神戸で開かれた時は，大学生を使って模範授業を行ったことがある。しかし，先生は単なる語学教師ではなく，神戸高商時代から，先生の専門である商業学，特に外国貿易実践を長く担当して来られた。半世紀前のいわゆる商業英語は実に幼稚なものであったらしいが，今日では一つの学問としての体系を備え，りっぱな学会もできている。その水準を高める上に，先生の功績は東京高商にいたブロックホイス氏のそれとともに長く記憶されるべきものではないかと思う。先生の人柄はそのたくまざるユーモアによって一層周囲の人々をひきつける。先生のユーモアについてはいろいろの逸話がある。あるクラスで book-keeping の時間に，宿題をやって来な

い運動選手が，友達のノートを写しているところを見た先生
は，「あゝ君は book-copying をしているのか」ととぼけたよう
なことを言って見すごされたことがあった。copy とは，当時
の学生語で，他人の答案を写すことであったが，先生はそれを
ちゃんと知っていたのである。先生は，「怒る者は自分の情に
負けたことになる」，とよく言われたものであるが，先生は怒
りをユーモアに変える妙手である。

　先生には，気取りというものが少しもない。小さい目立たな
いこと，つまらない日常的なことをおろそかにせず，またいつ
も現在というものを大事にして来られた。また先生はあらゆる
意味で，規則などを作って人をしばるということが嫌いで，い
わゆる実践躬行を旨として来られたのである。

　先生が日本に来られてからの思い出をたびたびうかがった
が，ほとんど楽しいものばかりらしい。日米戦争が起っても，
官憲は先生に敬意を表して，そっとしてあげたようである。し
かし，日本を第二の故郷と考えていただけに，その精神的苦痛
は大きかったものと想像される。戦争が激しくなって，ついに
引きあげられたが，先生は在米日本人の援護に奔走されたとい
う。昭和34年11月に先生が，その50年勤続に対して，勲三等瑞
宝章を受けられた時は，兵庫県も国際文化賞を先生に贈った。
そしてその祝賀会で読み上げられたメッセージの中で，アメリ
カ大使は，先生が日米親善に尽された功績をたたえ，自分らの
ような外交官も，とうてい先生のそれには及ばない，と述べた

のは，必ずしも単なる祝辞ではなかったと思う。

　先生は8年前に夫人を喪われた。夫人は明朗な活動家であったから，余暇をさいて方々の学校で英語を教えられ，戦後は神戸市立外国語大学の専任講師であった。夫人もまた日本を愛し日米のかけ橋になることを願っておられたので，その遺志に従って普通の葬式の代りに故人と親しかった人々だけで，追悼会を教会で催した。そして埋葬をどうするかということになって，これも故人の遺志を重んじて，太平洋上で水葬にすることになった。神戸を出るノルウェイ船の船長の好意により，太平洋のほぼ中央で一時停船，正装の船員参列のうちに水葬の礼が行われたということである。なお先生には2男1女があり，さきほど11人目のお孫さんが生まれた。

　先年数え子たちの協力によって先生のための住宅ができた。将来はスミス・ハウスとして使われることになろう。先生はすこぶる健康で，86才の時，アメリカを「訪ねた」（先生は「帰る」とは言わない）折，令息の運転する自動車で五千マイルに近い大旅行をされたが，少しも疲れを見せなかったということである。さきに述べた米寿の祝賀会に現れた先生は文字通り壮者を凌ぐほどであった。

　東京にいる外人は割合にその名が全国に知られるのはもっともであるが，地方にいて著述もせず社交界にあまり出ないが，日本を愛し，名声に無関心で黙々と生涯を日本人のために捧げた外人は英米人と限らず，その他いろいろの国籍の人が，明治

時代から少なくなかったし，今もかなりいると思うが，スミス先生はその代表的な人物の一人ではあるまいか。

　日本を去った Sir Vere Redman が最近 *Asahi Evening News* にスミス先生のことを書いているが，その中で，彼がスミス先生に初めて会った時の印象を思い出して，…I said to myself; "This man is a real teacher." と述べているが，誠に適切な表現だと思う。

（神戸商科大学教授）

半　世　紀

岩　崎　民　平

　明治百年といわれるが，国家百年の計というところから考えても，百年ともなれば国家の生命としても相当な歳月である。私もその百年の中で七十余年を生きて来たのだから驚ろく。英語を習い始めた中学時代は日露戦争の直後，軍人が大いに「もてた」時代，ことに郷里の山口県では陸軍士官学校や海軍兵学校へ志望するものが多かった。私なども勧誘されたが気が向かなかった。号令をかけて人を動かすようなたちでなかったといえばそれまでだが，ほかに今でも覚えているはっきりした理由があった。それは，私のうちで購読していた新聞が大阪朝日で，この新聞の論説が事ごとに時の政府を長閥，薩閥，藩閥と言って論難攻撃するのであるが，その政府の中心人物がたいてい同県の軍人出身なので，自分は何になるにせよ閥と名のつくもののお蔭によったのでは面白くないという気持が培かわれて来たのであった。そのころ山口県選出の代議士に佐々木安五郎という人がいて，国民党の犬養木堂の輩下であったが，閥とは門に人が戈を持って立ち入るものを拒むけしからんものだと閥攻撃の演説をやっていた。

　中学卒業期が近づくと，私が何をやるかについてもう一つ提

案があった。それは長兄からで，私のうちは元来味噌製造業で父は隠居してへたな絵をかいたり碁をならったりして遊んでいたが，兄弟十人（内女三人）で，長兄が家業を継いでいたが，兄弟のうち今一人くらい家業を手伝うため工業方面の学校へ行ってもよいではないかというのであった。その希望ももっともであったが，私はどうもそれに向いていないと思ったので，断って自分の選ぶ道に進むこととした。しかし長兄にばかり負担をかけるのは公平でないと考えて，兄弟の学校は専門学校までと申合わせ，私は学校を出たら，以後は兄には一切の負担をかけまいと心に期し，また実行した。

　私が英語に興味をもちその勉強をやろうと決めたのは，中学校での英語の教室に楽しいふん囲気がありそれに引かされたのであるが，その一例としては英語教師に会話の先生としてカナダ人の先生が配属されていて，この先生が実に快活な親切な先生であった。英語の教師に英語の native speaker がいることをそのころは何とも思わなかったが，後年考えると，いなかの中学では珍らしいことで，聞けば防長教育会の特別の配慮によるものであったそうで，その恩恵に浴したことを同会に感謝したものである。またこのころは日英同盟が結ばれたころで，"日本は東洋の英国だ"とか，"大阪は英国の Manchester だ"とかいって親英熱が燃え立った時代だからその影響もむろん大きかったにちがいない。中学卒業から東京外国語学校の英語科に入学したときは先輩石田憲次さんのお世話になり，同じ

下宿に案内されて勉強の仕方まで見習った。外語を卒業して先輩の横地良吉さんのご紹介で東京府立四中の英語教師となったが、これが職業としての英語をやる第一歩であった。それから数えて（途中大学生期間を除くと）職業歴五十年、まさに半世紀である。

この五十年をわが英語学界の一端にあって働いていた自分を回顧して功なきを恥じるばかりであるが、私が英語教師を始めたころは斎藤秀三郎先生の主宰された正則英語学校の盛んなころで、斎藤先生の名はすでに中学生の時代に金の話の例題のよく出た "Practical English Lessons" を教科書で習って知っていた。そして外語時代には "Practical English Grammar" を勉強したので英語界の大立物として仰がれている所以も了解したわけであったが、この巨人を目のあたり見たことはなかった。ところが大正2年か3年の夏、文部省の英語夏季講習会が東京高師で開催されてこれも有名な岡倉由三郎先生の講筵に列する幸運を得たとき、正則英語学校から文部省講習生は無料で正則のどの講義でも聴講することを歓迎するという通知が来た。そこで私は正則に出かけて、初めて佐川春水先生と斎藤先生の講義を拝聴することができた次第であった。この時宣伝の意味だったろうが、書物も何冊か頂いたが、その中にはたしか「日英縁結び」という表題の本があった。開いて見ると先生の得意の訳がぜいたくに印刷されており、「惚れて通へば千里も一里」——Love laughs at distance. というのは今でも覚えて

いる。いよいよ斎藤先生の教室で待機していると，現れたのは雲突くような六尺豊かの巨人，これが斎藤先生かと今更のように仰ぎ見た。使われた書物は Sheridan の *The Rivals* で，それに正則流の脚注がついていたが，教えぶりは同じ本をMedley 先生に読んで頂いた時のような本当の芝居を見るような面白さとは違って，saddled with a wife といったようなのがテクストに出て来ると類例などすらすらと並べて説き来り説き去られる。これは一々ノートを取ってもきりがない，それよりも耳を澄まして謹聴しようと，私は全身を耳にしていた。すると先生は講義の途中で，多年の研究の成果を伝えているのに，筆記もしない人がいると言われたので，私ははっとした。こうして生涯に一度だけお目にかかった斎藤先生に叱られたわけであるが，私としては最大の敬意をもって拝聴していたのであって，礼を欠いた気持は毫末もなかったのである。

　斎藤先生は，この講習会で進行中の辞典（熟語本位英和中辞典)の一部（civil あたり）を見本に配られたが，語法のくわしいのに比べて発音の方はカナであることに著しいアンバランスを感じ，斎藤先生が amateur を ［əméitʃuə］ のように発音されたのを耳にしたのと考え合せて，この方面は大いに開拓の余地があるのではないかと感じたものである。こんなところから，私は中学初年級の発音の指導の経験を加えて「英語の発音と綴字」をまとめたが，Sweet, Kruisinga, ことに Jespersenの影響が大きかった。教室でも，適宜発音記号を使用したが，

なにしろ発音記号を用いた辞書もない時代だったので，生徒の中にはめんくらったのもいたらしく，先生そんな妙な記号が英米人にも通じるのですかと聞かれた。私は多分通じないだろう，しかしその記号の示す音そのものが発音できるようになれば，諸君の英語は間違いなく英米人に通じるから安心していいと答えた。そのうちに Jones の発音辞典（1917年）が出て国際音声学協会の発音記号がわが国でも漸く普及するようになったので，市河先生の「英語発音辞典」を編集したときは，IPA の記号をそのまま採用することになった。H. E. Palmer 氏が来朝して「英語教授研究所」を開くに及んで，音声研究の重要性が力説せられ，IPA の音標文字の流行を促進させた。音標文字の普及化は結構だったが，これを用いる人の中には，音声訓練がなくただ紙上でこれを見覚え，日本語のローマ字書きのような発音をするようなのが出て来て，Jones 中毒という非難も起こって来た。

　英語音声学の本家本元のように思われていたイギリスでは，音声の研究が進むにつれて，簡略表記（Broad transcription）のほかに，精密表記（Narrow transcription）が行われるようになった。それは同じ英語の中の方言の比較においては当然のこととして，標準英語の分析でも使われる傾向にあったことは，Armstrong, Ward, 来朝した Palmer の著書を見れば明らかである。1926 年頃私はロンドンにいたが，Armstrong は「Professor は（Jones のこと）この次の英語発音辞典の改訂に

は精密表記を採用されるでしょう」と予想していたほどである。Palmer の英語教授研究所でもこの線に沿った精密表記の記号を採用発表した。アクセントのない音節に現われる [i] を [ə] に添えて採用したのは、私も教室の経験からその必要を認めて小著に採用したほどで同意見であったが、最も簡略には [e] [ei] [eə] となるところの [e] を三通りに書き分ける段となると果して教室の末端まで徹底させ得るか疑問なきを得なかった。市河先生がそのような精密表記は日本の英語教授においては必要でないとの断を下されたのはまことに賢明な処置であったと考えられる。市河先生のリットル英和辞典では、反対に extra-broad の表記法が採用されているのは注目すべきことであった。

　Jones の「英語発音辞典」で精密表記の採用は実現しなかった。Jones が発音記号は簡単なほどよいと、積年の研究の結果としての感想を洩らしているのから察すると、終に実現しないものと考えてよかろう。Jones をこうした心境に導いた理由のうち、最大なものは音素（Phoneme）に関する研究が発展して来たからであると思われる。（Jones の音素に関する論は1931年の‘On Phonemes’あたりから見られる。）もちろん、音素の考えかたは、Jones のが唯一のものではなく、また最優のものでもないという理論も立て得るかも知れないが、今日本の学校の末端までともかくも普及している記号を更めて起こり得る混乱を思うと、記号は大体そのままとしておいて音そのものの

習得を徹底させる方が賢明であろうかと私は思う。また記号の数は音素の数だけ必要であることは当然として，日本語と対比して教育上の見地から，考究すべき問題があるように思われる。

　半世紀を顧みて思い起こすことは多いが，話題をしぼって書きつけてみた。

（東京外国語大学名誉教授）

わが家の語学史

前 田 陽 一

　明治以前に生まれた私の祖父母達は，いずれもみな語学とは無縁であった。従ってわが家の語学史は，父母の代から始まる訳である。しかし，私の父も母も，明治の半ば近くに生まれた世代としては，語学と縁の深い方となった裏には，祖父母達を始めとする百年前の世代の心構えが大いにあずかっているといえよう。

　心斎橋の商家の出で，生まれたばかりの父を連れて東京に一旗あげに出てきた祖父母も，上州の一寒村の庄屋だった母方の両人も，それぞれの立場で開国後の新しい流れには敏感であったらしい。「近頃オートモビールというのがきたそうだから，一本買ってこい」と父を酒屋に走らせた祖父も，米国との絹貿易をやって失敗したり，自由党に加担してお尋ね者になったりした母方の祖父も，外国というものに対する関心はかなり深かったに違いない。殊に私の母が，東京のフレンド女学校で学ぶようになったのは，ひとえに私の祖母が祖父のすすめでキリスト教に入信したことが原因となっているのである。

　ミッション・スクールで寮生活をし，直接アメリカ人から英語を学んだ母は，長男の私が小学校に上る前に20代でアメリカ

を旅行し，其後も何年か外国生活をしているので，あの世代の婦人としては，英語をかなり楽に話した方であろう。学校でも，現在よりは却って，聞いたり話したりすることに重点を置いた語学教育を受けた模様である。

父の方は，銀座の真中の寺小屋に近いような小学校の高学年で，始めて英語に接した由である。「ファーザー・マザー・アサクサ・ゴー」というような漢文式の訳読で，先生は are の訳を，「アール・ある」とやっては得意だったそうである。中学は立教，その後高校と大学ではそれぞれ独法に進んだので，学校では英語とドイツ語を学ばされた訳である。立教中学で，どの程度外人教師についたかは聞き洩らしてしまったが，いずれにせよ，母よりは，訳読中心の教育を受けたに違いない。それにしても，今日の一般の学生よりは旧制中学・高校を通じて外人教師に接する機会は多かった筈である。

しかし何といっても，父の外国語は，読書中心の外国語であった。30代から先になって合わせて5，6年外国生活をし，フランス語までかじらなければならなくなり，あの世代のしかも内務官僚出身者としては，例外的な位に英語で仕事のできた1人となったが，父がいかに無理して英語で交際したり，演説をしていたかは，晩年になって，外国人との接触を努めて減らそうとしたことでも明らかである。その半面外国語の読書力は相当なものであった。大学生時代，あまり英語の小説等を沢山読むので，丸善の番頭に，「法科の学生さんが，そんなに小説ば

かり読んでいていいのですか」と心配されたという話を聞いたことがある。父が残した蔵書の中に大正3年発行の「ヒューブラック原著法学士前田多門訳，積極修養と消極修養，農学博士法学博士新渡戸稲造序」という，法学士などという肩書が麗々しく掲げられているだけでも時代がかった，文章も漢文句調の訳書がある。またその原著の Culture and Restraint by Hugh Black もあるが，その扉には，To Mr. Tamon Mayeda with best compliments from Sanki Ichikawa, to replace the lost copy, January 1957 という，市河三喜先生の御言葉が記されている。何でも父が『週刊新潮』の「告知板」で原著を探し求めたのに対して御恵贈下さったものと聞いている。因に先生と亡父とは，科こそ違え高校大学を通じて同学年かそれに近かった由で，戸田の寮へ行ったら市河先生が水泳部を牛耳っておられたというような思い出話を聞かされたこともある。

　大学を出て3，4年とも角英書の飜訳を出版する程度にまで，法科出の父が英語を学んだことの背後には，この訳書の序文を書いて下さった新渡戸稲造先生の強い影響を見逃せない。父が内務官僚出身者としては珍らしく，外国との縁が浅くない一生を送ったのも，学生時代以来の新渡戸先生に対する深い尊敬の念が作用しているのである。数年前生誕百年祭が行われた先生は，言うまでもなく，英語の大達人である内村鑑三（1861年生），新渡戸稲造（1862年生），岡倉天心（1862年生）という，三者共，今日に至るまで仲々それを上廻るものが出ないほ

どの英文の名著を残した人々が，いずれも明治初年に学校生活に入った事実は興味深い。というのは，開国当初の我国の学校教育における，外国語の比重は，丁度今日のA・A諸国の多くのように極めて高く，語学以外の教科書でも外国語のものが多く，教師さえ外人であったことが珍しくない。そうした時期に長じた3人は，他方またその幼年期には百パーセント伝統的な知的環境に置かれていたのであるから，今日の我々のように始めから東西の両要素が混然として入ってきている場合より，遙かに判然と両要素を識別し得たのである。それでこそ "How I became a Christian" "Bushido" "The Book of Tea" というような古典的名著によって東を西に説明できたのではないかと思う。

　新渡戸先生の影響は，私に至っては絶対的である。というのは，両親の結婚は，先生のお世話によって成立したのであるから，私は存在そのものを先生に負っている訳である。私の世代になると，外国語との関係は一段と深くなる。私が英語を学び始めたのは父と大体同じく小学6年の時であるが，その翌年両親に連れられて，私達兄妹4人は，3年間スイスのジュネーヴで暮すことになる。その時のことは，既に他に記したので省略し，結果のみを記すと，一番得をしたのが，小学校4年で行ったすぐ下の妹であった。日本語も忘れることなしに，私よりずっと早くフランス語を覚えた上に，帰国後もそれを忘れず，それが土台となって，英語，ドイツ語，ラテン語，ギリシャ語

と，何をやっても私より早く覚えるので，兄貴として口惜しかった。専門は精神医学であるが，英語の専門書やマーカス・オーレリアスの原語からの訳なども出し，終戦直後には父の英語秘書や安倍文相の通訳などもつとめた。私はその妹よりはずっと悪戦苦闘してフランス語を覚えたが，ともかく今日まで忘れずにいるからこれも得をした方であろう。ところが私より五つ下の次の妹は，覚えるのは早かったが，今では辛うじていくらか残っているという程度で，更に下の妹と，向うで生まれた弟とは，向うにいる間は，フランス語しか話せなかったのに，帰って間もなくすっかり忘れてしまい，学生時代になって始めてフランス語を始めから学び直すという始末である。要するにジュネーヴ生活が発端となって，私の世代では，5人のうち2人が，どうやら父母よりは語学との縁が多少は深くなったというのが結論である。父の場合と同じく，私の場合も，語学と一生つきあわなければならなくなった背後に，新渡戸先生の影響がある。私が旧制高校1年の夏，それまで原子物理学者を志して，理乙（ドイツ語を第一語学）にいた私が，文甲（英語を第一語学）に転じる決心をしたのは，新渡戸先生に，「物理学はやれる人が多いが，君のように少年時代に外国語を覚えたものは，国際理解の仕事に献身すべきである」とすすめられたからなのである。それ以来，何をやっても語学とは離れられなくなってしまった。

　私の妻は，地方の女学校で，土屋文明先生というような，他

の分野で偉い先生に英語を学び，更に東京の女子大の英文科に学んだが，何しろ女子大の入試で始めて外人の顔をみたというのであるから，終始読書中心の学習であった。其後私と共に長い間の外国生活を送ってどうやら英語と仏語で簡単な話ならできるようになったが，相変らず読む方が楽なようである。その父は漢学の素養はあったが，英語は全然知らず，母も勿論日本語だけである。従って山国育ちの妻の方は，私の両親の世代に似た語学的環境にあった訳である。

　終りに，私達の次の世代について述べれば，3人の子供達は皆パリで生まれた。長女は8才になるまでパリの小学校に学んでいたので，幸い其後もフランス語を忘れなかった。帰国後何年か経って，女子大の英文科，大学院の比較文学課程に入り，更に結婚後渡米し，現在ハーヴァード大学で日米仏の比較文学の博士論文を作成中である。こうして，このままで行けば，長女は，私の世代よりも更に外国語との縁が深くなる訳であるが，その下の長男と次女は，曾てはフランス語しか話せなかったのが，帰国後完全に忘れてしまい，学校で改めて学び直さなければならなかった。最近結婚してレバノンに赴いた次女の如きは，大学院で比較法を修めていた関係上，フランス語も必要で，更にレバノンではフランス語が公用語のようになっているので，フランス語で苦労し，「何故子供の時，フランス語を忘れないようにしてくれなかったのか」と私達をうらんでいる。

　以上我が家百年の語学史を辿ってみたが，これを読み直して

感ずるのは，何の因果で，我が家の者は，語学にこんなに執念深く付きまとわられなくてはならなかったのかということである。しかも，これが商売かなんかだったならば，家業として，代々積み上げて行けたでもあろうに，語学となると，どの世代も一人々々初めからやり直さなければならないのであるからやり切れない。要するに語学というものは1にも根気，2にも根気より仕方がないというのが私の結論である。

（東京大学教授）

私 と 外 国 語

弥 永 昌 吉

　私がはじめて外国語を習ったのは，小学校3年のときであった。私の父は，日本銀行に勤めており，私が小学校 3 年 の と き，長野県の松本支店に赴任した。父は以前，銀行からアメリカに派遣されていたこともあり，私の家は当時のいわゆるハイカラなほうであったのであろう。どういういきさつからか，母は松本の聖公会の教会の方々と往き来するようになり，私は2つちがいの妹と，聖公会の日曜学校に通うようになった。（その妹は，先年他界してしまったが）。 その教会の片山郁子先生（今は東北地方の聖公会の中村主教夫人となっておられる）にも，私たちはかわいがっていただいたが，カナダから松本に来ておられたミス・ハミルトンという若い婦人伝導師の方に，私たちは英語を教えていただくことになったのである。初めてのレッスンでは “I can see a book.” というような文章の book を pencil, doll など，いろいろにかえて練習させられた。その年であったか，翌年であったか，クリスマスの集会のとき，英語の会話を暗誦し，妹と二人で「対話」をさせられたりしたこともある。

　そのときの英語のレッスンは，どのくらいの間続いたのであ

ったか，はっきり記憶していない。頻度は，せいぜい週1回ぐらいであったと思う。残念ながら，子供のとき外国にいたような場合とはちがい，英語の調子が身につくまでにはいたらなかった。中学で英語を習いはじめたとき，英語について他の人たちよりも進んでいるような気持は，あまりしなかった。しかし英語の字や発音に，いくらかなりとも親しむ効果はあったであろう。

中学は，今の戸山高校の前身である東京府立四中というのに入った。一年のときの英語の先生は野尻先生という，年輩の先生であった。英語はとにかく，好きな学科の一つであった。

中学何年のときであったか，のちに高田外語で教えられた田中饒先生が，美しい声で英語を朗読されたのを覚えている。後年，外語大の学長となられた岩崎民平先生に英習字を教わったこともあった。

しかし，中学も高学年にゆくにしたがい，英語は私には，あまり魅力のある学科ではなくなってきた。教科書にある文章もそうおもしろいものではなかった。受験英語のようなものには，興味をもつことができなかった。

一高では，理科甲というのに入った。英語を第一外国語，ドイツ語を第二外国語とするクラスである。したがって，英語の時間数のほうが多かったが，私はドイツ語のほうにより多くの興味を感じた。一年のとき，ドイツ語を教わったのは，立沢剛先生であった。いわゆる一高名物教授の一人で，読書家として

知られ，教え方にも熱がこもっていた。英語は五年以上も習っ
てきたのに，さほどの進歩もしないように感じたのに対し，ド
イツ語は，一学期ほどのあいだに，かなりのことがわかるよう
になったような気がした。

　もちろんそれは，英語をある程度知っていたからである。日
本語と欧語のへだたりは大きいが，欧語相互のあいだには，か
なりの親近性がある。同じ系統の言語の場合は，その一つを知
れば単語にしても，文法にしても類推できることが多い。──
これは言語学の常識であるが，高校へ入ったばかりの私には，
そんな知識もなかった。もう一つの新しい言語を知り，新しい
世界が開けてくるのが，ただ無性に嬉しかったのである。

　一高一年のとき，朶寮六番という室にいたが，同室に福田赳
夫君がいた。（現在の蔵相である。）かれは，フランス語を第一
外国語とする文科丙のクラスにおり，快活な勉強家であった。
そのころの一高の仏語科には，石川剛先生などがおられ，相当
硬教育をされたらしい。福田君は，仏語動詞の変化など，寮の
部屋で声を上げて練習していた。習いはじめたドイツ語に興味
を感じていた私は，フランス語にも心を惹かれた。福田君の教
科書を見せてもらって発音などを教わり，動詞変化の練習のと
きには，私のほうが変化表を見ながら，「Recevoir の passé
défini は？」などと「問題を出し」たりした。

　専門としては，私は数学を選ぶようになった。一高の図書館
には，ドイツ語やフランス語の数学の本もあった。図書館では

書庫に入ることは許されなかった。カードで書名を調べ，係の人に出してもらって，閲覧室で読むのである。私は，そう頻繁ではなかったが，ときどき図書館にゆき，立派に装訂された Kiepert の微積分の本や，Goursat の Cours d'Analyse などを拾い読みしてみたこともある。一部分でもわかったときは嬉しかった。

当時の一高は今の東大農学部のある位置にあった。（も少しあとで，駒場へ移転したのである。）東大正門前に今も郁文堂書店というのがあるが，今は和書の新本だけを扱っている。そのころは隣りに洋書部があり，洋書の古本を扱っていた。そこへゆくと，哲学書文学書などとならんで数学書も何冊かおかれていた。図書館とちがい，そのうちのどれでも手にとって見られるのが嬉しかった。本の値段は今と比べればずっと安かったが，高校生の小遣いに対しては，やはり高価であった。身分不相応にも思えたので，買うことはあまりなかったが，立ち読みだけでもよい刺戟になった。——尤ものちのちのことまで考えれば，郁文堂洋書部でも相当の部数の本を買ったことになる。私は一高以来，大学，大学院の学生時代，それからあとの勤め先もずっと東大となったので，外国にいったときや疎開のときを除けば，（自宅は戦災などで数回変ったが），本郷に通いつめてきたことになる。その間，郁文堂洋書部にもずいぶん立ち寄った。戦中であったか，戦後であったか，なくなってしまったときは淋しい思いがした。

洋書といえば，本郷三丁目に福本書院というのができたのも，私が大学か大学院にいたころである。一高にいたころはまだできていなかった。しかし駿河台下までゆくと，丸善の神田支店があり，二階で洋書の新本を売っていた。春木町の南江堂にはドイツ語の本があり，レクラム版がそろっていた。夕方寮から神田あたりまで，散歩にゆくこともしばしばであった。神田の古本街では現在より以上に洋書が見られたと思う。明治時代にたくさんできた英語の数学書の翻刻版（クリスタルの代数，サーモンの円錐曲線など）も，一冊何銭かの安値で店頭でよく見うけた。尤もそれらには，練習問題のようなものばかり並んでいたので，あまり興味を惹かなかった。

　一高二年のときには，のちにゲーテ賞を受けられた相良守峯先生にドイツ語を習った。先生はあるとき，教科書を離れ，ゲーテの Erlkönig や Gretchen am Spinnrade のようなポピュラーな詩を黒板に書いて教えてくださった。これにはシューベルトが作曲し，こんな風な伴奏がついています，といってメロディーを口ずさまれたのを覚えている。ずっとあとで，黒人歌手マリアン・アンダーソンがこれらのリードを吹き込んだレコードを聞いたが，そのときも相良先生のお話を思い出した。これらの詩やリードは「あまりポピュラー」になっているのかもしれないが，はじめて知ったときは，私はやはり感激したのであった。

　一高のとき，アテネ・フランセにゆきはじめ，一時中絶した

が，大学のときにまた入りなおした。コット先生のクラスに出るようになってからは，すっかり「やみつき」になった。結局，コット先生のラテン語やギリシャ語のクラスにも出て，お免状をもらうところまでいった。

今もアテネで教えておられる阪丈緒氏や清水真夫人など，コット先生のクラスで一緒であった。ジュネーヴで中等教育を受けられた前田陽一氏や，慶応の井筒俊彦氏，のちスイスへゆかれ，今は東大教養学部で教えておられる前田護郎氏らもおられたことがある。ラテン語やギリシャ語はコット先生のクラスに出る前に，大村雄一氏，山田吉彦氏のクラスでそれぞれ教わった。山田吉彦氏はすなわち，きだ・みのる氏である。コット先生は学識，度量が広く，官学的なところの全くない学校を作られた。そこで多くの人材が育った。アテネは現在もその伝統を守って繁昌しているようである。

大学では高木貞治先生について整数論を専攻することになった。当時整数論がいちばん発達していたのはドイツであった。読むべき本や論文もドイツのものが多かった。最初の論文もドイツ語で書いた。他方，アテネで勉強を続けていたので，文学的な読書にはフランス語のものに，より多く親しんだ。また整数論とはあまり関係がなかったが，関数論のボレル双書など神田の古本街で見つけるたびに買ってきた。

大学を出て二年ほど経ったとき，仏国政府留学生の第一回試験に受かったが，それより前整数論の勉強のためドイツに行く

ことをきめていたので，まずドイツのハンブルクに出掛けた。ハンブルクの大学では，論文を読んで前から私淑していたアルティン教授の指導を受けることができた。はじめてアルティン教授に会ったとき，フランスから来ていたシュヴァレー君がちょうどその部屋にいて紹介された。シュヴァレー君とフランス語で話し合うことができたのは嬉しかった。それ以来，同君とは家族同志の交際を続けている。

つぎの年はパリに移り，結局三年間滞欧した。主としてフランスとドイツで過したが，その間イギリス，イタリーその他の国にも旅行した。三村征雄氏夫妻と旅行した思い出 も 懐 か し い。

帰国してから東大に入り，「本郷通い」を続けるようになったことは前にも述べたが，戦争のときは疎開をしたり，自宅が戦災にあったりでさんざんであった。戦後になってからもしばらくは外国との交通が不自由であったが，1950年アメリカのハーバード大学で，国際数学者会議というのが開かれ，出席のため渡米した。アメリカに行ったのは，それが初めてであった。そこでアルティン，シュヴァレーその他ヨーロッパで知り合った学者に再会することができたのは，たいへん嬉しかった。

しかし，このような会議出席のための旅行はあまり長居はできない。そのときは一カ月ほどで帰国した。それからも会議のためアメリカやヨーロッパに何度か出掛けたが，少し長期に滞在できたのは，1960から61年にかけ，シカゴ大学から招かれた

ときである。そのときは，家内と一緒に半年ほどシカゴにいた。英語はいちばん小さいときから習いながら，どうも身につかなかったが，そのとき以来，いくらかはよくなったようである。

　英語は今日最も実用的な国際語としてやはりいちばん重要である。日本にいても使わなくてはならないことが最も多い。しかし私は若いときその国にいたため，フランス語，ドイツ語のほうにより親しみをもっている。ことにフランスの人たちとは，学問的にも個人的にも，つきあいが多い。

　最後にロシア語のことであるが，私が最初にヨーロッパに行くときは，シベリア鉄道を利用した。そのため，少しばかりロシア語を独習しておき，いくらかは役に立った。汽車にはドイツ語を話す通訳が乗っており，車中のつれづれにロシア語の詩などを教えてもらった。そのことなどのため，当時のシベリア旅行の思い出も懐しいものとなっている。このごろ数学上の文献なども，ソヴィエトでずいぶんよいのがたくさん出るので，その意味でもロシア語は重要な語学になってきた。私も必要なときは，辞書を引いて読むことができるが，身についたものになっていないのは残念である。

（東京大学教授）

ヨーロッパに滞在して

小 川 和 夫

　外国語というものは，どうしても巧くはしゃべれないものだと，このごろはもうあきらめている。商売がら，外国に相当ながらく滞在したこともあって，ロンドンで1年2か月，パリで2年半暮したというと，それでは英語もフランス語もお手のものでしょうなどとお世辞を言ってくれる人もあるけれども，じっさいは何ほども進歩してはいないのである。それでも，東京の本部から指令電報が舞いこむと，スーツケースとポータブルタイプライターをひっさげて，手あたりしだいの飛行機をつかまえ，生れてはじめての土地に乗りこむと，すぐさま何やらと取材にとりかかる，そんな芸当も曲りなりにやってのけたのであった。

　こういうときに使った言葉は，ありのままにいえば，中学校（旧制）当時ならった英語にすぎないのであって，それにいくらか外交用語だの何だののボキャブラリーは加わっているかもしれないが，私が自信をもって言えることとして，中学3年までの英語のリーダーを暗記した経験があるとすれば，語学の点だけならば，それで特派員商売は（私程度には）つとまるのである。

いまの（新制の）中学校で，どういうふうに英語を教えているか知らない。私の子供のころには，昨日教わったリーダーの部分は，今日の教室で先生から指名されれば，即座にこれを暗誦してみせなければならなかった。そして，この暗誦はリーダーの巻の3がおわるまで日ごとに課せられた。

それから40年たった現在，昔ならったリーダーのなかみを全部覚えているわけでは，もちろんない。巻2の第1課が，Winter is gone. Spring has come. Snow and ice has melted away. Bees and Butterflies are on their wings. で始まったのは記憶に残っているけれども，あとは切れぎれに思いだす程度である。しかし，リーダーにあった文型は，意識の底に眠っているとみえて，それがその場の必要に応じて，よみがえってくるらしい。「おまえの英語はけっして流暢とはいえないが，きわめて正確である」と，あちらの人からほめられたことも何度かある。もっとも「おまえはシェイクスピア的な英語をつかうね」とからかわれたこともある。このときは，東京の本部から来た重役とＢＢＣ（イギリス放送協会）の重役とのあいだの，機微にわたる交渉の通訳をつとめたので，話がたいそういりくんでいたので，中学3年のリーダーでは間にあわなくて，ジュリアス・シーザーやハムレットに手を貸してもらったのかもしれない。そのとき同席していたＢＢＣ日本語課長のＬ氏が，会見が終ったあとで，片眼をつぶり，にやりと笑って，私をそうひやかしたのであった。

こういうわけで，英語の方は，私の在学した中学校の外国語教授方針が，何十年かあとにも，役にたったのである。けっして巧くも流暢にも話せないけれども，とにかく曲りなりに，こちらの意思を通じさせる用は果した。だから私は，こういう昔の教育方針に感謝していて，いまあるいはこれよりも数等すぐれた方法が用いられているのかも知れないけれども，私としては暗記以上に有効な方法というものは想像しえないのである。ただしあれには涙が伴なった。教室で，指名され，立たされて，Winter is……winter is… と，どもりながら，やがて涙にむせぶ光景は，当時毎日のように見られたのだが，私は English without tears などという文句は信用しないのである。

　ロンドンからパリに転任を命ぜられたときには，やれやれ今度はフランス語か，と溜息が出た。その土地の新聞によく眼を通すということが，特派員の仕事として大事なことのひとつなのだが，フィガロや，ル・モンドを字引をひきひき読むのでは，それだけで日が暮れてしまう。いままで家庭教師のおばあさんに毎週一回来てもらって，英語の会話のレッスンを受け，日常の買物ぐらいは何とか事を弁ずるようになっていた女房は，「やっと英語をいくらか覚えたと思ったら，こんどはフランス語なの。ことわっておきますがね，あたしは金輪際フランス語は習いませんよ。せっかくアー・ベー・セーとかいうのを覚えたって，またその次にアテネに転任になったら，今度はギリシャ語を覚えろって言うつもり？」とヒステリー状態に陥った。

仕事がいそがしくて，余裕がなかったせいもあるけれども，ロンドンにいたころには，英語会話のレッスンはとらなかった。ひとつには，「英語なら何とかしゃべれる」という間違った自惚れがあったためだが，いま思うとこれは大きな失敗であった。外国にながく滞在するさいには，かならずその土地の言葉のレッスンを受けるべきだと思う。心をむなしうして，「今日は」から，また始めるべきである。そうしたら，巧くはしゃべれないにしても，もう少しましな英語をつかえるようになっただろう。

　パリに転任すると，むかしアテネ・フランセに半年ばかり通ったフランス語では自惚れの出ようはずがなく，週二回レッスンをとらざるをえなくなった。女房の方は，さきの宣言どおり，あくまでレッスンによる習得に反抗して，町での買物も，最後まで英語と手真似と拾い集めたフランス語の断片で押しとおした。もっとも，パリという町は，一流店やデパートを除くと，あまり英語が通用しないのであるが，とにかくあらたにレッスンを受けるよりは，日常生活に不自由した方がまだましだというのであるから，これはもはや救いがたいのである。

　プロフェスール・Mの授業のある日には，早起きしなければならなかった。予習もしなければならず，また宿題が山ほどあった。それをM教授が訪れるまでの早朝二時間ぐらいのあいだに，かたずけなければならない。まず，日本語でいえば四百字づめ原稿用紙三枚程度の作文を，フランス語で書いておかねば

ならぬ。そのころは（いまでもそうかも知れないが）良い和仏辞典がなかったから，まず和英辞典を引いて，そこで検出された英語を更に英仏辞典を繰ってフランス語になおすということもしばしばで，これはじつに時間がかかるのである（何のことはない，英作文もろくにできないためなのだ）。その次に，M先生が前回の授業の終りに三四分間吹きこんでおいてくれた録音テープを再生機にかけて，声を文字になおす仕事がある。M先生は Alliance Française という語学校の教授であるから，そのフランス語は模範的なものらしいが，それにうっとり聞きほれていたって，何が何だか分りはしない。しかし，宿題だから，どうしても声を文字に移しかえなければならないのである。何回か録音テープを廻しているうちに，ぼんやり意味がつかめてくる。あとは，ボナンザグラムみたいなもので，字引をひきひき，欠けている単語をひとつひとつ埋めてゆくのである。結局埋められない単語が，いつも二つや三つ残った。これで身にしみて感じたことは，フランス語のリエゾンというものはまことに厄介なものであるということで，英語だったら，ボナンザグラムでこう苦労はしないだろう，ドイツ語だったら更に楽だろうと感じられたのであった。

　M先生の教授ぶりは，峻烈きわまるもので，同僚K君の奥さんは（このひとは東大仏文科出の，まことに才媛というべき人であるが），M先生の仮借のない教えぶりに，泣きだしてしまったことがある。「涙なしのフランス語」も，ありえないわけで，

こういう先生に教えていただいたのは幸せだったが，それがマダムKの場合には大きな効果をあげ，こちらにはあまり効果がなかったというのは，習う側の年齢の差にもとづくのであろう。

私の末娘はイギリスについたときには三才，パリに移ったときには四才であったが，子供の言葉ではあったにせよ，ロンドンではすぐさま英語を自在に話すようになり，パリに居を変えると，たちまちにして英語を忘れるとともにフランス語が口をついて出るようになった。故国に帰って半年以上たつ現在では，パリで覚えた言葉を話す機会もなく，もはや完全に忘れ去ったかと思ったところ，先日，フランスから知人の少女が訪問してくれたときには，眠っていた言葉が眼を覚まして，父親にはよく分らない会話を自在に交していたようである。いま娘は日本の小学校の課程についてゆくのが精一杯で，フランス語の家庭教師につく余裕はないのだが，せっかく覚えた言葉をもったいないという気もしないではない。

私の知っているかぎりで，日本人ばなれのした外国語を話せる人は二人いるが，そのいずれも幼いころを，その言葉の使われる異国ですごした人たちである。どんなに勉強しても，この人たちの域に達することは絶対に不可能といってよいだろうと思う。中学校時代に習いはじめた言葉だって，じつは遅すぎるのである。そしてまた，もっと年齢が進めば，M先生のようにすぐれた外国語指導専門家についても，何ほどの進歩も得られるものではない。私の場合は，暗記法という，かつて英語につ

いては大きな実りをもたらした（と思われる）方法も，フランス語ではほとんど役だたなかった。五十才をすぎて記憶力が衰え，辞書をひいて覚えた言葉も，五分たったあとには早速に忘れているといった始末だからである。

　それにしても，中学時代の語学教育は大切であると思う。Winter is gone をしっかり覚えておけば，それでなんとか外国で仕事はできるのである。そして堂々たる国際会議で，発言しなければならぬ破目に陥っても，とにかく相手は分ってくれるのである。たとえ，こちらがシェイクスピア英語を使ったにしても，あとでにやりと片目をつぶるというようなことはあるかも知れないが，それはこちらを軽蔑しているわけではない。だいたい毛唐の言葉がそんなに流暢にしゃべれるということ自体おかしなことなのであって，それは先方も承知しているものだ。

（日本放送協会報道局長）

日 本 人 と 英 語

渡 辺 眷 吉

　それは一昨年ミシガン大学滞在中のことであった。私の聴講科目の一つに Teaching of English as a Foreign Language というのがあった。講師は Edward M. Anthony 教授。English Language Institute の Acting Director で1963年には日本にも来られたことのある人。この class には外国人の留学生が多く，タイ，フィリッピン，インドネシアなど東南アジアの国々の英語の先生が多く見かけられた。

　この class にインドネシアの高等学校長で文部省の語学教育の顧問をしているという40才位の紳士がいた。色あさ黒く，立派なヒゲを鼻下にたくわえ，太って堂々としていて，威容他を圧していた。

　この校長は他のインドネシアの留学生同様日本人に親しみを持っており，また戦争中覚えた日本語の単語について話したりするので，自然に，講義の前後に雑談をする機会が多かった。

　ある日彼は語学教育について次のようなことを云った。このことは私の頭に強く印象づけられ今でも忘れることができない。

　「インドネシアではこれまで会話中心の語学教育をしてきて

いる。そして一応の会話の出来る人はある程度いる。しかし，私は，難しい専門書を読むことを教えて来た日本の外国語教育の方法を，インドネシアでも採用すべきだと思っている。今後の語学教育は reading 中心でなければならない」。

彼は流暢な英語で，熱意をこめて，このように私に語っただけではなく，後に，研究発表の時にも，このことに言及した。そして，アジアから来ている多くの英語の先生の共鳴を得たようである。

彼等の戦前の外国語教育は，支配者との意志の疎通が第一の目的であったから，自然，会話中心の教育にならざるをえなかったのであろう。しかし，今や独立国として，先進国に追いつくために，あらゆる分野において，外国の新しい知識を吸収することが必要になってきているのである。そのために，専門書を読むための外国語教育が強調され，その範として日本がこれまで行ってきた外国語教育の方法が注目されてきているのである。

勿論，私は彼の説をきいて，直ちに，では日本がこれまで用いてきた方法を採用なさい，とすすめる気にはなれなかった。唯今我々は，我々がこれまで用いて来た方法の再検討を迫られており，私自身夫を学びにアメリカに行ったのであるから。しかし，手段の巧拙はともかくとして，我々が語学教育の第一目標として，明治以来掲げて来た「専門書を読むこと」，そして今はともすれば忘れ勝ちのこの reading の強調をこのインド

207

ネシアの一高校長に教えられたような気持がした。

　それから二三ケ月後，六月のある夕刻，私はミシガン大学の Union の地下食堂で食事をしていた。すると私の近くの席に，十人あまりの日本人らしき人がやって来て夕食をはじめた。アメリカでは，東洋人はお互に自国人と間違えて話しかけたりするので，日本人だと早合点は出来ないと注意していると彼等は確かに日本語を話している。しかし今迄見かけたことのない人達である。大学の所在地 Ann Arbor には，家族を含めて百人近くの日本人がいるとのことであるが，どうも団体旅行か何かで到着したばかりの人達のようだった。大部分大学を出て間もないような若い男女である。海外渡航の自由化で，団体でアメリカ旅行に来た途中立寄ったのかも知れない，と考えてみた。それにしても単なる観光旅行なら，近くの Detroit へは立寄るとしても，小さな大学町の Ann Arbor に来るのはおかしい，と色々想像をめぐらしながら食事を終えた。

　やはり，外国で日本人に会うのはなつかしいものである。話しかけずにはおられない。私は席を立って，グループの中の最年長者と思われる人に日本語で話しかけてみた。ところが，その人は私の予想に反して，英語で応答してきた。それでこちらも英語を使わざるをえない破目になったが，またいつの間にかお互に日本語になって色々と語り合った。それで知り得たことは，彼等は五十数人のグループで，ミシガン大学の English Language Institute で英語の講習をうけるために日本からやっ

てきたのだということである。中にはこのまま滞米したいと思っている人も少しはいるが，大部分は講習が終れば帰国する。ＥＬＩの講習を終えてアメリカの大学に入学する資格をとるのが目的で三ケ月の観光 visa でやって来たとのことである。

　その後，ＥＬＩに行ってみると，日本人学生で一杯である。ＥＬＩの入学担当をしている William E. Norris 氏のいうところによると，百人程の講習生の過半数は日本人で，お蔭でＥＬＩは大繁盛だと笑っていた。

　海外渡航の自由化で，観光だけが目的で海外旅行をする人が多いなかで，英会話習得のためにアメリカにやって来る人達がこんなに沢山いることは心強いことである。この秋には日本でオリンピック大会が開かれるために，英会話熱はいやが上にもあがっていることだろう，などと遠い故国の英語ブームをあれやこれやと想像しながら，この五十数人の人達が無事に講習を終えて立派な会話力を身につけて帰国することを祈った。

　滞米中のこの二つの経験は，明治百年の語学教育の大きな流れを示しているように思われて興味深く感ぜられる。

　丁度，インドネシアが当面している事態に百年前の日本は直面したことだろう。それを解決するためには，やはり，あのような語学教育が必要であったのだろう。否，あのような方法しかとることが出来なかったのだろう。今日の言語学に基礎をおいた外国語教育方法から見れば幾多の欠点をもっている方法ではあるが，我々の先輩は先進国の文物を吸収するため必死に

なって外国語を勉強したのである。

　また，敗戦と占領，交通機関の発達のため世界の狭小化，そ
れに渡航の自由化は，単に書物を通して外国の文化を輸入する
だけでなく，直接に外国人と交際する必要と機会を増大させて
いる。このような事態を敏感に感じとった青年男女の会話熱
が，あのミシガン大学のＥＬＩの繁盛となって表われたのかも
知れない。

　明治百年の外国語教育をふりかえってみると，大正末期から
昭和のはじめまで Harold E. Palmer 氏の Oral Method は，
彼の熱意と信奉者達の努力にもかかわらず，当時は，実を結ば
なかったが，機熟して，今日日の目を見ようとしているのであ
る。我々はこの機会を利用して，我々の会話能力を東南アジア
の人々に劣らないよう向上させるべきである。私を含めて一般
に日本人は会話が下手である。そのことは定評があるらしい。
Thomas Cooke の遊覧バスでスコットランド旅行をした時，
最初に，ガイドが，「貴方は英語が話せるか。日本人は一般に
話せないから」と云った。その通りかも知れない。しかしこう
云われると一寸腹が立つもので，アメリカで一年何とかやって
きたという妙な自負も手伝って，"I can speak English rea-
sonably well." と答えてやった。しかし，やはり，東南アジア
の人達の流暢さがうらやましい。日本の外国語教育はこの音声
面でも一大飛躍をすべき時期に来ているようである。

　しかし，インドネシアの高校長がうらやましがった reading

の面もおろそかにすべきではない。それどころか，ほんとうの意味での reading が出来るようにならなければならない。アメリカ人に，日本ではほんとうの reading の教育も出来ていないではないか，と云われて，その通りだと思ったことがある。

　外国語教育については未解決の問題が多く，これが決定版だというものはまだ出て来ていないように思われる。しかし，我々は今日，もっと会話能力を強くし，同時に外国の文献を読む力をも強化していかなければならない立場におかれている。私は，自分の体験からその一助として，もっと聴く力を養成することを提案したい。

　言葉は元来音声から出来ているので，文字は音声の持っている意味を十分に表現していない。だから文字だけで勉強した人は正しい意味を捕えることも出来ない。それ故に，もっとlistening を多くすることによって，正しい外国語を習得するよう学生を教育する必要がある。そしてこの「聴く力」がつけば自然に「読む力」，特にその speed も早くなってくるものである。外国へ行って一番困るのは話すことが出来ないことより，相手の云うことが分らないことである。また多く聴いて夫が自然に出てくるようになった時の外国語が一番自然なものである。このことはアメリカに長く滞在している人達からもきいたことである。

　今日では，この聴取能力養成の手段はいくらでもある。ラジ

オ，テレビ，レコード等，外人と直接接触が出来なくても，利用出来るものはいくらでもある。また語学の教師がこれ等を利用して正しい発音を学び，成可く多く教室で外国語を使うことが，この聴取能力の養成に役立つのである。

　明治百年，外国語教育の歴史も百年になるこの時に当り，過去の方法のよいところを更に伸長し，新しいよい方法をとり入れて，日本の将来に少しでも貢献したいものである。

（九州大学教授）

場　と　表　現

直　井　　　豊

　幾人もの子供を残して渡米したのももう一昔以上も過去のこととなった。Washington, D. C. のその当時日本人が私以外にはいない大学の生活では，どうしたら十分意思の伝達を行なうことができるか，毎日のように出さねばならぬ papers をどのように書かねばならぬかが大きな問題であった。こんな時，家から送って来た英語青年に " That's it " では that と it のうちのどちらが主語かといったことが問題になっている記事がのっていた。当時私は教授から戻って来た papers の教授の批評を前にして私たち日本人とアメリカ人とは実在（realities）の知覚が異なるので，言語表現もおのずから異なるのではなかろうかなどと考えていた。したがって，このような文法的分析の問題より，私にはこの言葉がどのような「場」で使うのか，その方が興味があったのである。実在の知覚とは「場」と関係があり，私の最も大きな関心は，人間が一つの文化（culture）の中に生れ，その文化特有の様式（cultural patterns）を学んで一個の人格（personality）と成長していく過程にあり，その文化様式の一つとして言語を眺めることに努めていたのであった。人間が有機体（organism）として生きていくには環境（environment）が絶体必要々件であり，有機体と環境の相互作用の面を「場」（situation）という。「場」は刺激とその刺激特有の「言語反応」をその構成要件とし，「場」特有の刺激—反応の結び付け（S-R Bond）を修得することが生活への適応となると考えていたし，今もそう考えている。したがって，"That's it"の文法的研究よりもどんな「場」にこの表現様式を使うかがより興味があったのもこのような理由からであった。

　帰国を翌年に控えた秋，帰国後の子供たちへの土産話と思ってヤンキーズとセネターズの野球試合を見に行ったことがある。いつも弱いセネターズが三連勝してロードゲームから戻って来たうえに，ホームグランドでの最後の試合でもあったためか観衆の数も意外に多かった。いよいよゲームが始まり，間もなくセネターズの一選手がホームランを打つと，その時観衆の中から声あり "That's it."

　またあるとき友人が子供を連れて，私を Rockcreek Park にさそってくれた。帰途，友人がその子に荷物を自動車の後の席に置くことを求めていたが，その思うところにその子が荷物を置くと，父親は子供に向って "That's it."

　この言葉で思い出すのは，ある教授がよく言われた "That's that." である。教授は講義から脱線した後，いよいよ本論に戻る時とか，一応話が一くぎりした時などこの言葉を使われた。研究社の英和大辞典を見ると「So that's that. それでおしまい（討議や物語の）」があるが，So は入れず，その使用する「場」

214

も辞典の定義よりも広く討議や物語の場だけに限らぬようであ
る。新簡約英和辞典は That's that. を挙げてあるが。

　また，面白いと思ったものに "This is this." がある。い
よいよ三年の滞米生活を終って帰国の途中，船を待ちながら
Los Angeles の近くの Pasadena に住んでいる友人のところ
にしばらく世話になることになった。この夫婦は二人とも
California 大学の出身で，年は若かったがよく出来た人々だっ
た。よく閑をみては田園の見物に連れていってくれた。ある夕
方近くの谷間にある森林公園に出かけて行った。公園の係員か
ら許可証をもらってすでに設けられてある野外の炉でコーヒー
を沸かしたり，ホットドッグなどをつくったりして，簡単では
あるが楽しい夕食を済しての帰り途，行く時に一時車を止めた
峠に来る，"This is this." といいながら車を再び止めた。行
く時，見渡すことの出来た大平洋もすっかり闇，Hollywood
のあたりは赤，青と輝いていた。私は "This is this." が気に
なって問ねると「ここが前に止まったところよ」という意味で
いったとのことであるが，この用法をもっと他の人にも問ねて
置くべきであったといまでも心残りである。

　この夫人は私にはよい英語教師でもあった。"We were
tickled to death to hear from you." などと手紙で書いて来
たのもこの人だった。ある時，冷水をとり出そうと冷蔵庫を開
けて見ると，バナナが一本，しかもほんのわずか一部だけ大事そ
うにしまってあった。そばに居合せた私がこれに気附いたかと

思った夫人は "I'm so conservative." といわれたが，これは「私本当にけちなの」にあたるのであろう。この人の人間性の豊かな人柄に甘えて私はよく無遠慮な質問をしたのであった。ある時，この夫婦とその弟の人の家を訪ねたことがあるが，たまたまその弟の人の夫人が出産間近だったので，帰途勇気を振ってこの夫人に "She is in the family way.", "She is with child.", "She is pregnant.", "She is expecting." などのうちどれを最もよく使うかと問ねたら "She is expecting." だと教えてくれた。

　実は，この表現の実証的研究は主として代名調にとどめようと思っているであったから，この種の脱線話は "That's that." かつての東大浜尾新総長が卒業式の後で来賓に "There is nothing, but eat the next room." と言われたという話はすでに「古典化」している。この話を数人の集りの時，一場のお笑い草と思って紹介すると "There's nothing." とは言わないが "It's nothing." はよく使うとのことであった。たしかに，"My trouble is nothing to theirs." "She is nothing to me." などという表現はあるが，人に物を与えたり，好意，親切をつくした時のお礼の言葉に対して言うので "You are welcome." にあたるのである。"Eat the next room" は問題外であるが，このような場合に使う "Help yourself." について研究社の英和大辞典を引いて見ると「(1)自由に取って食べる，(2)自分の用に当てる，（遠曲的）わが物にする」とあるが，Department

216

stores などの宣伝物のところに "Help yourself." と書いて
あるが，これは「お自由にお持帰り下さい」であろうし， "May
I read this paper.?" に対する "Go right ahead." も「ど
うぞ御自由に」であろう。しかしこの "Go right ahead." は
"I'd like to speak to you for a moment." "Sure. Go right
ahead" の場合は別である。

　アメリカ人は自分の話の大切な点，面白い点などを強調する
時，"Isn't it something?" "That's something." などとい
う。"That's something." を辞典を見ると「それは幾分の慰
め（もうけもの）だ，それは何かの足しになる」とあるが，「そ
れは大切なんだよ」，「それはすごく面白いんだよ」などにあた
る場合が多いようである。

　「場」は人と人との相互作用にかかわるものばかりでなく，
物理的環境にかかわるものもあるし，習俗（folkways）や習律
(mores) にかかわるものもある。岩田一男氏の「英語に強くな
る本」が出た時，この本の重要と思われるところよりも別のと
ころが読者の注意を引いたようであるが，その中に "Someone
in." がある。実は "Rest room" であるが，辞典にアメリ
カでは「（劇場などの）洗面所，手洗い」とあるが，駅，学校，
図書館などのような建物のそれをも言うのである。この Rest
room は英国では休憩室のことをいうのでこの言葉が出るとき
「手洗い」よりも「休憩室」の方が強く連想されてはじめの頃
少しばかり抵抗を感じた。そこで "Someone in" であるが，

アメリカでは駅などの有料のを除いて手洗所の扉は上部だけであるから，使用中か使用中でないかは「脚下」を見れば分るし，公園のはノックする扉すらない。家庭の bathroom は使用中は扉を閉め，使用しない時は，扉を開けておく習慣になっているから，ノックする必要はまったくないといえる。したがって，" Someone in." は言う機会がないといってもよいのである。

Rest room の場所を異性に問ねることはタブーになっているが，よく仕事を手伝ってあげていた，わが国に教育使節として二度にわたって来られたこともある Hockwalt 師の秘書に，わが国の宗教視察団の一行が渡米した時，この人達のために問ねたところ顔を真赤にされてしまったことがある。これはいわゆる mores のひとつか。なお，" Someone in." は相手と面とむかわぬうちなので，三人称で言うのだろうが，電話などでも" Could I speak to Mr. Smith?" と問ねる場合，本人が直接電話に出ている時は " Yes, he is speaking." というのもまたその一例であろう。

生理的要求をみたすことを Nature calls me. というがこれも岩田氏の本で多くの人々が口にするようになった。これは I'd like to release nature. ともいう。あまりトイレにかんすることは大きな声ではいわぬのが社会的慣例のひとつで，" I'm going to wash up." とか，人にその場所を教える場合は小さい声で教えるのが例である。私たちは少しこの表現を口にする

きらいがあるようである。それでもいつも不思議に思うことは男性がすべき所でない処で nature を release しているのを発見して問題にするのは女性であることである。この種の exposure（適当な訳語が辞典にない）は女性に対する冒瀆と考えての怒りの行為とみるべきであろうか。

　話は大変お恥しいことになってしまったが，この恥しいことで思い出されるのは，私たちの教授の一人で政府のある委員をしている人がよく欠講するのを詫びて，ある時 "I'm quite ashamed of myself for cutting class so often." といわれたことがある。辞典を見ると「恥じて，恥じ入って」とあるが，これは「恐縮至極です」とか「申訳ありません」といった意味なのではなからうか。恩師 Medley 先生もこのような意味でこの言葉を使われたことを覚えている。「恥しい」といえば「shame」である。これについてもまた思い出がある。私が「Culture, Language and Personality」の問題に関心をもっていることはさきに述べたが，その一部として psychology of personality というコースをとることにしたことがある。私にとってはじめての科目であり，もともとその方面の素養もないため，かなり苦労したが，ある時のテストが悪く " Could be passable " との評を受けることとなった。このことを同級生の一人である修道女に話をすると " It's a shame." という。これもまた辞典を引くと「余りのこと，ひどいこと，ひどい仕打ち」とあるが，これは行為者（落第させようとするような）に対する非難

の言葉と解すべきであるが，私が言われた言葉はどうしても"It's a pity." と解すべきであろう。Clark 氏の *Spoken American English, Advanced Course* の中に "It's a shame that Jimmy failed the examination even though he studied so hard." (p. 84) とあるのもこの一例であろう。

　これまで述べたもののうちにはわが国の辞典に定義された意味とやや変化した意味に用いられているものが含まれているが，これは言葉が記録されるよりも早い速度で意味を変化していることを物語っていると見ることが出来る。また，一面これは「場」に対する認識態度が変化しつつあることをも意味するものであろう。

（南山大学教授）

明治の心と Thomas Hardy

皆 川 三 郎

　「専門家」ばやりの時代に，私は特別な作家の「専門的」研究などやったこともないが，Hardy の作品を生っかじりにかじった回数だけは，学生時代から通算すれば，かなりになる。しかし，荒筋は分っても，こまかい字句の解釈になると植物のことや地理的背景，方言のニューアンスがよくつかめない。昨年分ったと思ったところが，今年になるとまた疑問になったりすることがある。よい辞書や参考書があってもそうである。今日と比べて，明治時代の先輩は Hardy を読むのにいっそう苦労したことであろう。

　明治初年には，国語，国史の教科書以外，殆んどすべての教科書が外国出版のもので，この語学的強行軍によって，短時日の間に，英語学力を身につけたものである。教科書はその後邦訳を用いるようになり，更に20年代には，理科，数学など日本人の書いた教科書が使われるようになると，英語の学習は英語の時間だけに限られたから，教育の普及度に比してすぐれた語学力をもつ者が少なくなり，40年代になると語学，文学の専門化の時代を迎えた。

　Hardy の作品が日本に紹介されたのは，山本文之助氏の「日

本におけるトマス・ハーディ書誌」によれば，明治23年(1890)
で，「国民の友」No. 92「西洋小説百種其二」で取上げた *Far
from the Madding Crowd* が最初である。次は明治25年（18
92)「早稲田文字」No. 27に坪内雄蔵（逍遙)の「ジェームス・
サリーの小説論」で，Hardy を引用し，これ以後は毎年のよう
にいろいろの文芸雑誌に取上げられている。今日と比べて，発
表機関の少なかった当時として，一人の作家が続けて発表の対
象になるのは珍しいことであった。

　ではなぜ Hardy が特に明治大正の人々によく読まれたので
あろうか。Hardy の作品には，江戸時代の伝統を継いだ明治
文学とどこか共通したところがあるからだろう。つまり，親し
みやすかったので，明治人は自分の語学力などさして問題にせ
ず，東西人間共通の感情や社会的雰囲気をとらえようとした。
或は我流に想像していたことも多分にあっただろう。もっと
も，それは程度の差こそあれいつも外国文学鑑賞につきまとう
ことでもある。

　明治時代を今からふり返えると，どうにもならない頑固な封
建性に突当るが，しかし，流石に漱石，鷗外を生んだ時代だけ
に，すばらしい一面が目につく，誇りと威厳と保守と進歩――
私たちの身辺にもこのいくつかの要素を終生持ち続けた人たち
がいた。牧水が歌ったように，「亡びしものはなつかしきか
な」でとかく過去を美化したくなるものであるが，明治人の魅
力は上にあげたような点にある。近頃のように，民主主義の名

のもとに個性を失い，自信を喪失した時代では特にそんな気がしてならない。

　明治時代を題材にしたものの中で，泉鏡花の「婦系図」にせよ，村松梢風の「残菊物語」にせよ，環境の重圧に悩む人々の運命を取扱った点では Hardy の *Tess* や *The Return of the Native* その他の作品に共通したものがある。従って日本人でも，明治の雰囲気をとらえていなかったとしたら，Hardy なんかばかばかしくて読めたものではない。登場人物に対する Hardy の取扱いというか，plot というか，いずれにしても，彼の小説の構成に反ぱつを抱きたくなるかも知れない。逆に，明治文学の教養が深ければ深いほど，Hardy の作品への理解が深まるだろう。また日本的に考えれば，Hardy を宿命論者の中に入れたくもなるが「人生の明るい面を描くと同時に悲しい面，不幸な面をも現実的に取扱うことが宿命論者というなら，私は宿命論者といわれてもかまわない」と言った Hardy の文学的態度を「宿命論者」という日本語で一括することが誤りであることもはっきりしてくるのではなかろうか。

　私は昨年の夏，Hardy country の Stevens Cox という人に招かれて Bridport に宿泊した。5 日間の予定であったが，The Bull's Hotel という 300 年前 inn として建てられた宿が落付いていて気持がよかったことや，主人の Miss Elizabeth が気さくな人であったこと，町の人が親しみやすくて他郷にいるような感じがしなかったことなど，いろいろな理由から，自分で

勝手に滞在を更に5日間のばした。Mr. Cox は私に "1 penny" でも使わせないと言って，宿泊費はもとより，外食の費用を一切引受けてくれた。後の5日は私が支払うと言うと，絶対に支払わせまいとして，9日目に10日分払ってしまった。"You are my guest." の一点張りである。私もこの親切には負けた。あの食堂ではいくらであったがこちらではいくらだ，料理をくらべるとこちらが割安だなんて何シリングはおろか何ペンスの金でも問題にしながら，私のために何ポンドかの金を快く払ってくれる徹底した使い分けにも驚いた。彼は私と殆んど同年輩だが，ひげを風になびかせたガッチリした体は古代ブリトン人を思わせる風貌である。この人もなかなかの頑固者である。家は蔵書で通路も二階もはち切れそうなのに，ラジオやテレビは買っていない。ある時，自動車旅行の途中で食事をしていると，田舎のおかみさんがラジオを大きくかけていた。Mr. Cox は立上ってラジオがうるさいからやめろという。おかみさんたちが，こんないい音がするのにやめろとは何だという。Mr. Cox がやり返す——そんなのを聴いて喜ぶ人間の気が知れない，"That's a shadow of the voice！" 彼は自分が旧式だの時代おくれだのという考えは毛頭ない。満々たる自信とプライドをもっている。自分の道をはばむ者があれば誰にでも立向う気魄もある。この人が出版業者でなかったら，「婦系図」の中のドイツ語学者酒井俊蔵のような，親切で頑固で強引で，風格のある人物になったのではなかろうかと，明治型との共通性がたまらな

224

くおもしろかった。日本では「明治は遠くなりにけり」といわれ
ているが，すたれた型が大手を振って現存している英国の社会
が羨ましかった。大都市ではなくてこの草深い Hardy country
であろうと，pride と prejudice を束にしたような人物が胸を
張ってまかり通るとは何と愉快なことであろう。民主主義とい
ったところで，所詮はこの個性の上に築かれるものだけに，英
国の民主主義は動揺が少なく，従って時代による文化の断層を
まぬかれて後世に引きつがれ，いく分の修正を加えつつ変化の
波を乗り越えて行くのである。

7月のある夕べ，Dorchester 博物館の館長室で考古学の幹
事会があった。私は広いその部屋の書架の前で Herman Lea
の *Thomas Hardy's Wessex* を読みながら，Mr. Cox を待
つことを許された。館長は30才位の Oxford か Cambridge
出身の青年であるが，幹事5，6名は60才前後の連中ばかりで
ある。館長が開会の挨拶を終ると討議が始まった。中でもひと
きわはげしいのが Mr. Cox である。人の二倍も大声でしゃべ
りまくる。天井が響くような騒音である。1時間ほどして，館
長が結論を述べると会議が終り，「アハハー」と大声で笑って散
会，この幕切れがまたおもしろかった。この人たちは日本人か
ら見れば時代おくれの我の強い明治型であろう。

Mr. Cox は毎日自家用車で business を兼ねながら Hardy
country を連れまわって，Hardy をじかに知っていたという人
々に紹介してくれた。市長夫人であった Mrs. Mardon, Tess

を上演した時主役をつとめた Mrs. Gertrude Bugler, Hardy 家の gardener であった B. N. Stephens, Hardy の晩年7年間 parlour maid をつとめた Miss E. E. Titterington, Hardy 夫妻と親交のあった Christine Wood Homer, 二番目の Hardy 夫人との関係で同家によく出入りした音楽教師 Joyce Scudamore その他の人たちである。殆んど60才以上，多くは70代であるから，今後10年たって行ったら何人残っているだろうか。Hardy のことを聞こうと思えば，Mr. Cox 編集の *Monographs* にそれぞれの立場から書いてある。それ以上のことはあまり期待できないが，この人たちは Hardy 時代の郷土の人間像を見るのに最も貴重な存在といわなければならない。共通に素朴で，publicity を嫌い，未知の人に会いたがらない。ところが，会えばていねいで，親切である。簡単に流行の波に動かされず伝統に安住していて，19世紀の頃からの静けさを破りたがらない。持っているのかいないのか分らないが客間にテレビやラジオをすえつけた家は一軒もなかった。テレビやラジオがあってもめったにかけないのか，かけても極めて低音なのかも知れない。町の中以外は人家はまばらだし，屋敷や庭は広いので，少々の騒音なら近所の迷惑になりそうもないのに，どの家もひっそりとしている。平均家族が小さくて，子供が少ないせいもあろう。工場の煙もない，広告などもちろんない。畑や牧場に醜い広告を立てられたら風景が台なしであるが，こんなところへ立てても何の役にも立たない。鉄道の沿線もきれいだ。

女性は一般に日本の過去の女性のようにやさしいが，しんは
もっと強いのであろう。Hardy country で会った女性は偶然中
年以上が多かった。社会的地位がどうあろうと，共通に物静か
で，shy である。主人の権威ないし権力が強いの か ど う か，
petticoat government らしい家庭にはついぞめぐり合わなかっ
た。夫婦のあぶない雲行きを遠来の客に見せないのが礼儀とし
ても，暫くいれば分るものだ。しかし同性としてひそかに憐憫
の情を抱きたくなるようなご亭主が，私の紹介された範囲では
いなかった。Shy といえば，かつて音楽教師で あ っ た Miss
Scudamore (*Monographs on the Life of Thomas Hardy* の
No. 19 *Florence and Thomas Hardy*: *A Retrospect* の筆者)
などは極端な shy である。私が Mr. Cox に Hardy 回想録を
一人一人書いてもらうために遠いところをかけまわったり，通
信連絡をしたりするのでは手間取るから，テープレコーダーを
持って行って録音してはどうかと言ったところ，とんでもない，
"She will be terrified. She will speak not a word." 世間話
をしながら徐々に Hardy のことを語らせるように水を向ける。
あとで早速その中から Hardy に関する部分をざるですくい上
げるように取材して適当につなぎ合せる。Miss Scudamore の
ところへ行ってこんな話でしたねと言って読んで聞かせたり，
原稿を見せたりする。そこで意に満たないところを け ず っ た
り，思いついたことを加えたりしてもらう。こうしてやっとで
き上ったのが *Florence and Thomas Hardy* (24頁)だという

その原稿が出版になると，お礼に50部寄贈する。それに手間代を加えたら一冊だけでも莫大な費用がかかり，かなり売れても元がとれない。しかし今の中に記録を残しておかないと，Hardyを知る人たちは今後10年たったら殆んどいなくなるので，犠牲を覚悟で回想録の編集を続けているのだ——これが Mr. Cox の弁である。

Hardy 時代の人間像に接してみると，この人たちから構成された社会の伝統や慣習を破ることが容易でなかったことが想像できる。階級制度や身分差を越えて個人の感情を貫ぬくことに大きな抵抗が伴い，反発しようとすればするほど悪循環的に身を傷つけ，大きな破綻を招くことになりかねない。近松物や明治の泉鏡花その他の作品に現れる人情のしがらみ，ままならぬ世の掟，義理，身分関係などと似たような条件が英国の封建社会にもあったと思う。国情や国民性に従って日本人は日本人らしい行動をとり，英国人は英国人らしい態度をとるにしても，結末は似たようなものである。

明治，大正時代には，数の上からいって Hardy を論文のテーマにすることは今よりは少なかったにしても，人生の伴侶ととして理解され，共鳴されたのは読者の明治的な教養によるのである。

私の知人で，ある会社の社長をつとめている I 氏は50才の半ばであるが，中学生の頃 Hardy を読み始めたという。当時は訳本などなかったから，辞書だけを頼りにした。大学に入って

からも読続けて詩に至るまで殆んど全部読んだという。Hardy
の作品は総頁約13,000だそうであるから，大した根気である。
執念といってもよい。

　先日，英国から帰った某高等学校長に会った。この方は英語
科出身だけに，昔習った英国の風物に接してなつかしかったと
いう。Hardy country へも行ったというから，何が一番印象に
残りましたかと尋ねたら，こう答えた——

　「明治の気分に触れたことです」。

（明治学院大学教授）

Lucerne の人，Bern の人

佐 々 木　　達

スイスの Lucerne は美しい市（し）である。そこに着いたのは1958年の３月のはじめであったろうか。Zürich から Bern へ行き，そこから Interlaken をまわって来たのである。駅の案内所が世話してくれたホテルは中流で，しずかな環境に あった。部屋の印象はすでに褪せてしまっているが，フロントの若い女性二人は記憶の中に鮮やかである。みめよいのとさほどでもないのと，ともに小遣いかせぎの学生かなにからしかった。わずか四五日の滞在だったが，「ルツェルンはいい所だ， また来たい」と別れぎわにお世辞でなく言ったら，「そのときわたしはお婆さんになってるわ」と応じたのは二人のどちらだったろうか。

　ホテルから十分ほどのところに Lucerne 湖がある。観光シーズンの端境（はざかい）なので人影もまばらである。近づいて行くと電話のボックスがあって，文字のかわりに受話機の絵がそれと知らせる。ドイツ語とフランス語とイタリア語のほかにもう一つ国語のあるこの国では止むをえない。しかし気の利いた工夫（くふう）である。ボックスを過ぎるとすぐ湖畔。夏の季節には人で溢れるであろう観光船が纜（ともづな）の先きに揺れている，あるか

230

なしかの波であるのに。右手へ進むとそこは小さな公園で水の出ていない噴水がある。子供たちの遊び場らしく，いくつかのブランコもあるが，なぜか観光客らしい大人か，または一組の男女がベンチがわりに腰をおろしていることが多い。ベンチも何脚（きゃく）か緑の塗色で見晴しの良いここかしこに置かれてはいるのだが。

　わたしは滞在中ほとんど毎日湖畔に出かけた。水面をはるか隔てて Rigi 山が望める。アルプスの前山の一つである。そこへは船で渡らなければならないが，湖の左り縁（ふち）が大きく弧をえがいていて，じつに快い散歩道がそれを囲んでいる。そこもわたしは毎日のように歩いたものだ。行きは右手が淡青の水，左は宏壮なホテルや一流店舗の連続である。帰りは，しかし，わざと湖をはずしてそれに平行した街路に出たこともある。このあとの場合のある日である，わたしは意外な機会にめぐり合わせた。

　端麗と堅実さを象徴するこの国特有なビルの一つに「…旅行社」という文字が窓に見えたのである。それはくだんの街路のはずれ近くにあった。観光好きではないが好奇心の強いわたしは，とっさにその社屋の扉を押そうと決心した。ガラス戸であるから内部の人の姿は見透（みすか）しである。同じように中の人は戸口へ近づいてくるわたしをいち速く認めたにちがいない。わたしは今でも十年近く前の，この時の自分の気持を喚び起すことができる。それは一種異様な感じであった。それは「待たれ

231

ていた」という感じ，この土地に全く無縁のわたしが約束の時間に来着して「お待ちしていました」と挨拶されたような感じ，いわば「被期待感」というようなものであった。なぜかというと，わたしが建物の内部に足を踏み入れたとたんデスクに向かっていた若い女事務員がわたしに微笑みかけると同時に，すこし離れたデスクの婦人に目で会図を送ったのである。「あなたの出番(ばん)ですよ」目はそう言っていたようであった。第二の女性はつとデスクを立ち，わたしの方に近づいてきた。「よくいらっしゃいました」という意味の流暢な英語が彼女の第一声であったと思う。「日本の方(かた)ですね。市内見物はおすみですか。あすの午後うちの娘にご案内させましょう。からだが空いていますから。」真実あっけにとられている私を微笑で眺めながら彼女はこう付け加えた——「わたくしマリーエ・カミヤマと申しますの。」（ことわっておくがこれは仮名である。）

わたしの当惑と疑念は最後のひと言(こと)で朝霧のように薄らぎ消えた。彼女はこの市(し)の日本人の妻君だったのである。そう言えば Zürich を立つとき在住の日本の友人から Lucerne にカミヤマという夫妻が住みついていると話されたことがある。それをわたしは軽く聞き流していて，場所が Lucerne であることも念頭になく，夫妻を訪ねてみようとも思っていなかったのである。にもかかわらず機会の神はいたずらにも，こんな形で夫人をわたしに引き合わせてくれたのである。——そして彼女の混血の少女にも。その日のうちに電話で打ち合わせが

232

あって，あくる日の午後マサコは約束どおり宿に来てくれた。フロントの娘（こ）に「女の人がたずねて来たらすぐ知らして」と言わずもがなの予告をしたのも私の気持が多少ともはしゃいでいたのであろう，あるいは単なる見栄（え）だったかもしれぬ。

　初めて会ったミス・カミヤマは美貌の少女であった。小造りなので少女とも見えるが，実際は成熟したうら若い女性にちがいなかった。背丈（たけ）と端正な顔の彫りは父親似で，白皙（せき）の肌は母から受け継いだのだろうか。旅行社のマリーエはブロンドの，奇麗だがややたるんだ顔立ちの大柄（がら）であったから。マサコは階上（かみ）にも上って来ずすぐ市内の案内に出かけましょうという。だがこの Lucerne には「名所」というものはまず無いと言っていい。いわば市（し）全体が「名所」なのだ，水と山と人工のすべてを含めて。Lucerne 湖の袋の口は河になっていて広い橋がかけられている。この辺りが中心街である。河の上手にもう一つ膨らみがあって白鳥の群がる池になっている。池の畔（ほとり）から，また橋の欄干から，わたしはこの名物の純白な姿を散歩の行き帰りに何度も見ている。新しい橋の上手（かみて）に「く」の字形の古い橋が見える。それもわたしは渡ってみた。中世以来の，ヨーロッパで最も古い木造の構築物だという。中央の辺りに塔が立っていて，かつては罪人を幽囚したのだそうだ。だが塔よりも橋のたもとの公衆浴場がわたしの関心をひいた。浴場というより銭湯という感じの，日本でも今は田舎町にしか見かけない見すぼらしい外観であった。橋を渡り切ると下

町に続くらしかったから，銭湯を利用する人々の階級を想い浮かべないではいられない。そんな sophisticate されたわたしにマサコは丁重に説明をつづけるのであった。彼女の日本語は強い北関東訛りで，ときどき男ことばが飛び出した。父親から採り入れた日本語だからである。

しかしマサコと並んで歩くことは楽しかった。人は父娘(おやこ)と見たろうか，それとも……。すれちがう誰も彼も，ことに若い男たちは彼女の東洋風の麗姿に目を見張ってゆく。それも誇らしかった。「あそこです，わたしの勤めているのは。」それは新しい石橋の左り向こうのビルであった。彼女はそこの弁護士事務所を手伝っている。そしてその日もあとに仕事が待っているらしく，なにか落ち着かない様子であった。ガイドの最後はあの「フランスのために斃れた七人の勇士の像」であった。山国の三月の陽はすでに落ちて，囲いの中は木立ちで暗く，碑(いしぶみ)の文字はさだかでない。それをマサコは電灯で照らしてくれた。ラテン語で記されていた。

「わたしの家(うち)，ついこの先です。」と言いながら「寄っていらっしゃい」とは言わない。わたしも「寄らしてもらおう」とは言わない。二人は元の道を引き返した。橋の手前に来たとき，「食事を上げたいが時間はあるか」と彼女に聞いた。「時間はあるが，食事は辞退したい。お茶ぐらいなら」と言う。彼女に連れて行かれたのは高級とは言えないレストランであった。学生が常連らしい。ここでもマサコのあでやかさは男たち

の目を集めたが，コーヒーと菓子を注文する彼女のなめらかな
ドイツ語がなぜかその風姿にそぐわないと思われた。「先生は
大学ですって？」と雑談のあとに彼女は言った。「そうだ。」と
答えると，「先生にお聞きしたいことがあるんです。わたし日
本へ行って日本語や日本の事情を勉強したいんです。向こうの
学校の制度はどうなっていますの。」これはわたしが半ば期待
し半ば失望させられた問いであった。つまり彼女はこれまで父
親を通してしか日本も日本語も知らなかったのである。それが
彼女に不安なのである。なぜ不安なのか，その時のわたしには
腑に落ちなかったが，相手の熱心なまなざしと，案内の労に対
する感謝の念もあって，混血の女性が日本で日本語を覚え直す
ための便宜についていくつかの示唆と注意を話した。日本語の
訛りと男ことばをとても気にしているらしいが，それは日本人
の家庭に入ればすぐ直る，とも言った。漢字が十分読み書きで
きない，と訴えられた。これはやや難題であった。しかしジュ
ネーヴ大学を出ている彼女であるから，日本の大学へは無条件
で入れよう，だが大学で漢字は教えてくれぬ。ただしこれにも
色々な便法はある，日本へ来たらそのとき具体的に手引きしよ
う，ということで彼女は一応納得したように見えた。

　車ででも送ろうというのを固辞して，数十分の同伴ののち，
彼女はひとりで帰って行った——たしかに両親の許へであった
ろう。その彼女にもう一度会いたいと思いながら予定の日数が
切れて果さなかった。ただ母親のマリーエに電話で礼を述べた

ら，「いろいろお話しをうかがったそうで。　もう一日ご案内で
きたらと思ってましたのに」と丁重な挨拶が返ってきた。

　その翌日だったか湖を船で渡り，登山電車で Rigi 山へ登り，
頂上のキリスト像と雪の斑らな山並みを眺め水と大気を縫って
Zürich へ戻った。　同宿の日本の友人にカミヤマのことを話す
と，「マサコはかわいい娘（こ）だろう」とにやにやしながら言
う。　それを肯定すると，「だが彼女には一目惚れした婚約者が
あるんだよ，それが関西の大銀行のおん曹司でね」と言ってか
ら，「マリーエも戦争中はひどく苦労をしたものさ，日本人の
ご亭主と赤ん坊を抱えて。」としんみりした口調になった。　そ
れで解（げ）せた，なぜあれほど熱心に日本語の知識を求めてい
たかが，彼女の真剣さは父親の国での家庭生活に備えるための
真剣さだったのである。

　わたしの帰朝と引き返えにヨーロッパへ出かけた同僚と半年
ぶりに顔を合わした。「きみ，マサコ・カミヤマに会ったよ…
…」「どこで，ルツェルンでか」「いやバンコックの空港で
さ，スイス航空のスチュアデスでね，Professor Sasaki を知っ
てるかって，それから贈り物を托されたっけ」「ぼくに？」こ
こで彼はいたずらっぽい目付きをした。「そんな曰くがあるの
かい，君に。ぼくの預ったのは彼女のフィアンセへの贈り物
さ。」それからさらに数年。Zürich の友人が向こうを引き払っ
て東京へ来た。わたしはさっそくたずねた。「ミス・カミヤマ
はどうした？　銀行家と結婚したかね？」　彼は呟いた。「それ

がね，どうも婚約解消らしいんだ。」 わたしは彼女のあの真剣なまなざしを想い浮かべ，それを裏切った何ものかを心から憎悪した。

───────────

Bern には湖はない。 が， 丘や谿(たに)や森は豊かである。そのうえ賑わう市場があり，名物の時計台人形があり，そしてかわいらしい国会の建物がある。教会の尖塔が中央に聳え小じんまりした大学と，有名な書店がある。一つの都市国家──そんな感じを与える市(まち)とも言えよう。Francke 書店を訪ねたのは大学からの帰り途であった。この国の若い学者の新著を買い求めたのもここであったが，ちょっと風変りな本屋であった。内部はたぶん三階になっていたと思うが，それが天井まで吹き抜けになっている。それが当時のわたしには珍らしかった。それから老人の店員の如才なさ。「日本の方でしょう？」というのでうなずく，と「あなたのお名前を知っています。サキ──いやササキでしょう。」 これにはわたしも驚いた。年何回か日本へ送っているカタログのリストにあなたの名があると言う。大へんな記憶力と商売魂(だましい)だと，感じ入った。一 階 から 二階，さらに三階と書物を物色して動きまわるのは楽しいが，しかし気疲れもする。書架も高いから，梯子(はしご)に頼らねばならない。天辺(てっぺん)から一階を見おろすのも面白いが，三階の人を下から仰ぐのも変った視角の構図になる。まして上の人がジードかなにかの小説を拾い読みしている女学生であったりした場

合には。

　この首都にやって来た第一の理由は学者のＦに会うためであった。大学は退職したが，まだここに住んでいる。電話をすると，むすこさんらしいのが出て，「いま父は不在だが」と言う。そこで「つごうがついたらあすの正午まえホテルに来ていただきたい。一緒に食事をしたいから。わたしはなにがしという者で，手紙で連絡してあるはず。」と伝言を頼む。

　あくる日の11時すぎフロントから「お客さまが下でお待ち」と電話がある。はじめて相見（ま）えるＦは巨大漢で，いかにもドイツ生まれらしい風貌である。話す英語も訥々としていてこちらも気安い。「食前の酒は？」とたずねると「チンザーノ」と答えられたのはちょっと意外であった。このあまい酒は食後に飲むものと思っていたのに。わたしは比較的長いイギリス滞在の名残りでシェリーにした。しかし大陸ではこの習慣もほんとうはしっくりしないのであろう。パリーのレストランでハンバーガーを注文するようなものか。学問的雑談——食事——学問的雑談。「数年前コーペンハーゲンへ出かけてＪに会いました。」とＦは言う。Ｊは彼の「論敵」と目されている同学の人である。この二人の会談の模様を想像してわたしは愉快になった。Ｆは何を言い，Ｊは何と答えたのだろう，議論も性格も一徹なところのあるこの二人だから。しかし，むろん，わたしは話し合いの内容に立ち入る非礼は犯さなかった。むしろこの二人の学者の，特にコーペンへ出向いたＦの態度を美しいとさえ

238

感じた。フェアプレーである。そのＦは約束があるとかで，長居はせず，抜刷りの二三を残して帰って行った彼の後姿に，功成り名遂げた人の満足と同時に一沫のわびしさがまつわっていると見たのはわたしの感傷だったろうか。

部屋へ上りかけると階段の壁に「今夜当ホテルの ホ ー ル で Bern とドイツ某市との間に舞踏競技がある。参加希望者はフロントに申込まれたい。入場券は一名〇〇フラン。」とビラ貼りのあるのに気がついた。要するに社交ダンスの都市対抗であるが，近い距離とは言え，相手は隣りの国の市（も）である。それが対抗競技をするということは隔ての壁が無いというにひとしい。それに比べて日本の野球の都市対抗はいかにも島国的である。

どんな踊りか見たいと思って，フロントへ行くと，「主催者へじかに話してくれ」と言う。なるほどホールの入口にはもう机が据えられていて入場者を受け付けている。わたしはそこにいる青年に交渉した。「ぼくは日本から来たものだが，立つまえに舞踏の手ほどきを受けた。かつ，米国と英国で数回レッスンをとった。だからお国の舞踏競技なるものを観覧 し た く 思う。満員だそうだが入場できないものか。」青年は中へ入り，やがて主催者でダンス教師らしい中年の男を連れて来た。委細を聞いたらしくすぐ「O. K.」と言う。「だが服はテールコート」と言いかけて「いやダークスーツでけっこうです。」「良い席は無いが，パートナーは何とかしましょう」とすこぶる愛想がよ

い。わたしを踊れると思ったらしいのだ。

　まだ開場に間があるので，部屋へ戻りふだん着の いわゆる 「ダークスーツ」はそのままにして，ネクタイだけを白に変えた。下へ降りるとホールの中は人いきれのする詰まりようである。席はどこかとウロウロしていると，例の教師がいち早く見付けて，壁寄りの，なるほどあまり「良くない」席を宛てがってくれた。その上律儀なことにパートナーまで連れて来てくれたのである。わたしのお相手を押し付けられた女性ははたちを越えてはいないだろう。ゲルマンふうの美しさである。「ビールでも」と勧めると「ジュースのほうが」と言う。彼女は英語にきわめて弱い。そしてわたしの英語は英語に弱い人には向かない英語である。彼女のことばはむろんドイツ語である。わたしのドイツ語は読めるがあまり話せない，とりわけ聞けないドイツ語である。こういう二人の間の談話がどういう結末に導くかは自明であろう。ダンスはしゃべる必要のないものだから，「踊りませんか？」とひとこと言えばいい。そして相手はそれを期待しているのだが，わたしにはその勇気がない。この若い美しい人を渦巻くホールの中で巧みにリードするなどは及びもつかないわたしの技倆である。短かい会話と長い沈黙の半時間が過ぎると，彼女は「競技を見て来ますわ。」と言って椅子を離れた。じっさいここからは人垣の隙間に燕尾服とドレスのチラチラするのが見えるに過ぎぬ。そしてそれきり彼女はわたしの許へ戻らなかった。わたしは異国の淑女に思わぬ屈辱感を与え

てしまったらしい。

　主催者はわたしを「踊れる」と思い，弟子の彼女に「日本人の相手をしてやりなさい」と命じたのであろう。だから彼女もわたしを「踊れる」と思い，「踊れる」のに「踊らない」のは，「自分に不満なのである」と誤解し，口実を設けて去って行ったのであろう。その証拠に彼女が離れてから数分ののち，受付にいた青年が「妹がスカーフを忘れたから」と言って，椅子の背からそれを取り上げ，そそくさと人波の中へ消えて行った。彼女の顔に見覚えがあると最初から思っていたが，あの受付の二人がこの兄妹だったのか。「すまないことをした」という気持で，わたしは座に堪えられなかった。ただ大陸が得意とするヴィエニーズ・ワルツの競技ぶりを垣間見（かいま）たあと，主催者の教師とその細君に挨拶をして部屋に戻った。

　ことばの不通はおそろしい。それは思いがけない誤解を生むから。誤解はやがて感情の疎隔となり，さらにそれは個人にも国民にも大きな不幸をもたらすかもしれぬ。夜ベッドで横になりながら，そんなことをわたしはくり返し考えていた。

（東京外国語大学教授）

英語教育の発祥地—長崎市

竹 中 治 郎

　私の生れ故郷は長崎市である。ここに生れてから28年間住んだ。外国情緒の豊かな町である。外国語雰囲気の溢れていた町である。この町で生れ育ち，教育を受け，英語の教師を生涯只一つの職業としているのも，この地の雰囲気，環境に感化されたことが，その大きな原因の一つに考えられるようである。

　長崎を離れてから30余年。しかし私は度々長崎県や長崎市の英語教育研究会総会や講習会や研究会に招かれて行く。今夏は2度も行く機会に恵まれた。その都度長崎と英語の関係を思い浮べ，長崎がわが国の英語教育に対して果した役割や貢献を誇りに思っている。

　長崎はわが国における英語教育の発祥地である。長崎市の立山に記念碑が建てられている。石の正面には「英語伝習所址」，側面には「日本における英語教育発祥の地」と彫まれている。これは昭和33年，長崎における英語教育100年の記念に，昔の長崎奉行所内に創設された日本最初の英語学校，すなわち英語伝習所の発足した地に建立されたものである。明治は100年になんなんとしているが，長崎における英語教育は明治より前の安政5年(1858年)，すなわち明治元年よりも10年古い歴史をも

っているのである。

　もっともそれ以前の1761年頃，本木良永が私的に英語の研究を行なったり，長崎に起った英船フェイトン号の不法入港問題がきっかけとなって幕府は長崎のオランダ語通詞若干名に英語の研究を命じているが，これは臨時措置であって正式公式の学校英語教育ではなかった。この英語教育に当ったのは出島のオランダ商館員ブロムホフである。恐らく彼は英語を聞き話すことをオーラル・メソッドによって習熟せしめたものと思われる。

　英語の辞書が日本で出たのも，やはり長崎が最初である。ブロムホフの弟子の吉雄権之助が文化7年（1811）の終り頃「諳厄利亜言語和解（諳厄利亜常用語例）」を作り，その翌年にはもう一人の弟子の猪股伝次左衛門が第二冊目を，続いて岩瀬弥十郎が第三冊目を脱稿して奉行所に提出している。また本木庄左衛門も「諳厄利亜興学小筌（諳厄利亜国語和解）」10冊を，文化8年秋に同じく奉行所に差出している。

　しかしこの種の辞書で，もっと本格的なものは，文化8年秋，奉行所が命じて編集せしめたものである。これが有名な「諳厄利亜語林大成」15冊で，ブロムホフ指導のもとに木本庄左衛門を主任とし吉雄権之助他3名によって約3年の歳月を要して完成されたのである。最近——これを執筆している最中，研究社の「英語と英文学」8月号によれば工業大学の大村喜吉氏が，私の住む同じ大岡山の古本屋で，この15冊を入手されたとか。羨しい話しであるが，これはわが国最初の英和辞典と言

うべきもので，ヘボン博士の「和英語林集成」よりも，数年以前である。ただし収録語数は約6,000語の由で，その凡例は簡単な文法を記したものだそうである。

　次に嘉永元年（1848）北海道で捕えられて長崎に送られた米人マクドナルドは，西山の宿舎で10数名の通詞に英語を教えている。これも半ば私的な教授であるが，大部分はオーラルで，聞き覚えの日本語を多少混えた様子がある。これらの通詞の中で最も会話に上達した森山栄之助は，米艦プレブル号が長崎に留置されていた米国漂流船員14名を受取りに来た時もアメリカ語心得の通訳として，またペリー来航の時も通訳として活躍をした者である。

　この時代の英語の地位は，わが国では第一外国語ではなくて，まだ第二外国語であったと思われる。しかし英語の通詞たちが，たとえオランダ語の知識や能力があったにしろ，本格的英語学習開始から僅か1年で辞書（単語集のようなものに過ぎないとしても）や，3年位で共同作業とはいえ語林大成15冊を完成したり国際的通訳に当ったりしたことは，如何に彼等が研修に努力し，また教授法に英語の知識と役に立つ実際面の両方に有効な訓練が行なわれたかが察知できる。現代アメリカのミシガン大学の英語研究所におけるフリーズ一派のオーラル，インテンシヴな方法に似た，いわゆる正則教授法が採られたのであろうと推察される。またこの当時の英語学習の目的は，教養のためというよりはむしろ，政治，外交，貿易のための実用価

244

値のためであったことは明瞭である。

　1850年には九州薩摩藩主島津斉彬が洋式精練所を設け，米人教師を雇い，米国パトナム出版社から砲術入門その他の原書を数百冊購入し，これを教科書として，若い多くの藩士たちに英語で教授させている。これはかなり組織的でオーラルメソッドで行なわれたことであろう。これはペリー来朝3年前のことである。明治時代の西洋文化輸入の先覚者福沢諭吉が，蘭学から英語研究に転じたのは安政6年（1859）のことである。

　ペリー来航後，外国に対しわが門戸が解放されると安政6年（1859）米国の宣教師数名が来朝した。その中でもヘボン，ブラウン，バラー，フルベッキらは，わが国英語教育にも貢献が大きい。前の3人は横浜で英語塾を開設し，ヘボン夫人はキダー女史と協力して女子に英語を教えている。この塾が後に東京の明治学院，横浜のフェリス女学院となったのである。

　しかしフルベッキは長崎に上陸した。彼の目的はもちろんキリスト教（新教）の伝道にあったが，この時はまだ伝道が公認されていなかった。そのため奉行服部長門守の懇望によって英語伝習所（この学校は度々名称が変更され，この時は洋学所となっていた）の顧問教師となった。彼の名声をしたって方々の藩から若い英才が集まった。彼はすばらしい人格と能力とを以て信望を集めたという。彼の許に集って指導を受けた名士の中には岩倉具視，伊藤博文，井上馨，大隈重信，副島種臣などがある。また彼は私宅でも個人指導をしたらしく，上記の人物た

ちは，現在「赤寺」として有名な長崎の名所，今籠町の崇福寺内の広福庵に度々出入したといわれる。

この英語伝習所は明治5年の学制改革後も幾度か名称や組織を変更して30年間長崎に存続したが，その間ここで学んだ名士は西園寺公望，井上哲次郎，前島密，伊藤巳代治，田川大吉郎，藤山雷太などである。

さてフルベッキ博士は長崎にとどまること10年，長崎英語教育史に偉大な足跡を残した人であり，教授法もオーラル・ディレクト・メソッドであったことは間違いない。長崎人で英語に関係の深い人が忘れてはならない恩人である。この後彼の東京における活躍を見れば，彼は長崎英語教育史のみならず，日本英語教育史上に輝く人である。

フルベッキ博士は明治2年日本政府の招きによって上京，開成所教授となったが，東京南校（後の東京帝国大学，現在の東京大学）の英文科設立にたずさわり，その主任教授となった。同時にヘボン，ブラウン博士等と協力し明治学院の英文科をも設立している。

長崎ではフルベッキが英語教育に偉大な貢献を残して去った後，米人宣教師スタウト博士がその後任として広運館（英語伝習所の改称されたもの）の教授となった。かたわら彼は長崎日本基督教会を設立，今日でもこの教会は現存している。その時作られた厳丈な木のベンチ20数個は今でも礼拝用に使用されている。私が受洗した母教会でもある。スタウトは伝道の手段と

して英語の聖書を教えた。明治19年にはスチール博士の寄贈資金によってスチール・アカデミーを東山手に設立した。これが神学部（後明治学院へ移る）と中等部をもった東山学院で私の母校であり教鞭をとった学校である。彼の英語教授はいずれの場合も徹底したオーラル・メソッドで只の一語たりとも日本語は用いず，教室では学生にも使用を許さなかったという。これは私の大先輩たちの話である。

スタウト博士の後をついだ英語教授はピータルズ博士で，この先生の家族とは私の家内の家族が親しく交り指導を受けたので，私自身も二回の渡米留学中，ミシガンでは親切に泊めていただいた家庭であるが，彼も英語教授では，往々自宅に生徒を引率し，オーラル・ディレクト・メソッドで英会話に加えてマナーズまで教えられたという。私自身が教えを受けたテーラー女史も一貫して全然日本語を用いない英語の授業であった。同女史は今も98才で加州に御健在，昨年もお会いして来た。パーマ博士来朝の時，私も英語教員となり，彼の説に触れる前から，かなり英語を用いての授業をし，パーマ氏の長崎における講演とマーティン氏の授業実演とを見て，自分自身の教え方もオーラル・メソッドに近いことをさとり，さらにパーマ氏の理論に基くわが国新英語教授法の賛同者となって，今日まで42年間英語教育に励んで来たことも，郷里長崎，母校東山学院の英語的環境，雰囲気及び外人の教授法によるものと信ずる。

長崎では上記の外人の他に米人マクゴワン，リギンズ，ウィ

リアムなどが明治以前に英語を教えている。明治10年以後，長崎には東山学院の他に梅ヶ崎女学校，活水女学校，鎮西学院，海星学校（フランス系カトリック）などのミッションスクールが設立され，外人教師によってオーラル・メソッドによる役に立つ英語が教えられたのである。一時英語教授が日本人教師の手に移ると漢文式訳読式になったが，長崎こそは西洋文化の輸入地，オーラルによる英語教育の発祥地であり，大正昭和時代のパーマ，ひいては現在のフリーズのオーラル・メソッド，オーラル・アプローチの先駆をなすものである。明治100年の今日，日本人教師による英語のオーラル教授の維新を迎え，私の胸は歓喜に溢れているのである。

（明治学院大学教授）

文 学 と 英 語 教 育

大 和 資 雄

　英語教育が実用を第一とすることは当然である。そのために聞くことや話すことから始めることは当然である。そのために大学の英文科で，一年級から四年級まで毎年，英語会話を必修科目にすることも，まあ，やむを得まい。近ごろの学生は必修科目にしないと出席しないからである。その結果，文学史の必修単位は半減され，文学概論などは除かれてしまった。その代りに英語通訳法などという学科目が初めて登場した。語学ラボラトリが新設され，会話の主任教授がアメリカに出張させられ，専任のアメリカ人教師が招かれた。数年前に私どもの大学でこうした改革が立案された時，私は英文科の主任として相当の抵抗を試みた。しかし学科目や単位の改組は全学部の機構にわたるもので，一英文科だけのことではなかった。各学科の主任はそれぞれ不満があったけれど，実状の変化に即応して何とか手をうってみる勇断に迫られていたのであった。

　どこの大学でもほぼ同じであろうが，私どもの大学でかつての英文科の学生の定員は昼夜それぞれ五十名で，旧制時代も新制初期にも専門の学生は昼だけでいえば全部で百数十名に過ぎなかった。それが現在では毎年百数十名以上の学生がいて，全

部では数百名になる。夜の学部は来年度でなくなるとはいえ，一クラスせいぜい数十名に講義していた昔と違って，講義科目には他学科の学生も来るし，それに私はたくさん「おとす」ものだから再修の学生も加わるので，大きな講堂でマイクで講義し，出席を呼ぶ代わりに毎時間十分ほど英文の書取をして提出させるゆえ，後始末の採点に日曜も休日もない忙しさ，かてて加えて昔はなかった授業中の学生の私語をしかりつけ，どなりつけ，何とも大変な労働なのである。昔のように，英文学の作品の正しい読みと解釈を土台にして，文学の伝統や比較研究や批評をしたり，言語学からの吟味を考えたりする学生がだんだん少なくなって，せめて英語の会話でも身につけさせなくては始末にこまる学生が多くなっている。

　それでも私は昔の夢をどうしても棄て切れず，英文学演習，英語学演習などのクラスは五十名に限ることに当局の支持を得ているが，そのために英文科の専任教師は二十名に近い大世帯になっていて，学科の配当のことも気苦労になる。昔は主任の石川林四郎先生さえ兼任で，専任としては英語学の故森村豊氏と英文学の私とたった二人，それでも学問や教育に打込む卒業者がずいぶん出た。今では英文学にも英語学にも関係ない職業に就く人が多いし，それに半数くらいは女子学生で，ただ何となく英文科卒業という経歴をもちたいという人も多い。このことはなかなか重要なことのように思われる。皮肉ではない。

　なぜなら，英語教育には，いつも実用プラス・アルファがあ

るからである。英語教師のなかには，旧制高校の他の外国語や哲学などの教師と同様に，学生たちに人間・人生・世界について考えさせ，暗示を与え，いわゆる人間形成に少なからず重要な役割をした人々が多い。そのような人はみな英語プラス・アルファをもっていた。私自身の英語の先生たちがそうである。わが国の古い英語教師を思えば，東京高師の英語科主任であった矢田部良吉は植物学者であった。明治十五年の「新体詩抄」のグレイ訳で有名な尚今居士である。井上十吉は採鉱冶金学を専攻した人であった。津田梅子は生物学を専攻した人であった。こうした人々は生涯を英語教育に献げたのであるが，さまざまな事情で一時短い年月のあいだ英語を教えていた「でも教師」で本職の教師より学力も人物もすぐれた人々が多かった。一例だけ挙げるなら，日本大学の前身日本法律学校の初代校長であった憲法学者，金子堅太郎伯は，かつて大学予備門で斎藤秀三郎たちに英語を教えていたことがある。彼らが当時の青年たちに与えたものは，単なる実用英語だけではなかった。

　そして生物学・冶金学・法学などを専攻した英語教師たちも，すべて文学作品を愛して深く鑑賞した。金子堅太郎伯がハーバード在学中にロングフェローと詩を談りあった話もわれわれは聞いている。およそ感化の大きな英語教師で英米の文学作品を何らか愛好しなかった人はない。神田乃武，坪内雄蔵，熊本謙二郎，南日恒太郎，内村鑑三，新渡戸稲造，岸本能武太，佐久間信恭，斎藤秀三郎，磯辺弥一郎，植村正久，和田正幾，

岡田哲蔵等の偉大な教師たちが，青年時代にどのような学問を修めようと，いずれも英米文学の愛好者であった。

　中でも坪内博士の博大な文学と倫理とは，思想家の梁川，筑水，抱月らの偉材をはじめとして，史学の朝河貫一，国文学の五十嵐力，倫理学の中島半次郎，海運史の西村真次，短歌の会津八一，フランス文学の吉江喬松，ロシヤ文学の片上伸，英文学の繁野天来，その他の巨匠を育成して，英語英文学の教師としても偉大な感化を明治大正の時代に与えた。彼は官学出の秀才でありながら，官学万能の明治初期に，私学に勤めて操守固く，薄給過労，毎週四十時間の授業を受持つ間にも文筆に励み，文学史上に不朽の業績をのこしたが，その気力を支えたのはシェイクスピアであった。彼の気魄をうけついだ英語教育者の多い中でも，「英語青年」の喜安璡太郎と，景教の佐伯好郎とは特色がまことに顕著である。佐伯博士は今年(昭和四十年)六月廿六日，郷里の広島県廿日町で九十三才の天寿を完うせられた。この偉大な英語教師に心から哀悼の意を表する。

　文学と英語教育との結びつきは，明治二十年に東京帝国大学の文科大学に英吉利文学科が置かれてから，名実ともに緊密になった。もっぱら文学で立った漱石，敏，晩翠，白村，小山内薫，草平，三重吉，竜之介，半田良平らとて，英語教育に全く無関係とも言われまい。東大の英文科を卒業した人々は，日本全国の大学，旧制高校，中学などで英語や英文学を教えて，実用プラス・アルファの感化力を多くの青年に与え，また京都，

東北，九州，京城，北海道など諸大学の英文科のいわば開祖ともなり，学芸と人間形成とに大いに寄与したといってよい。一二の実例は無数の事実を思い出させるであろう。佐藤清教授の関西学院志賀勝・東山正芳教授に及ぼしたピューリタン文学の研究と精神，また島文次郎博士が京都大学で後の広島文理科大学教授木方庸助博士に伝えた英国劇の研究も，木方博士の喜寿記念の近著「凡人像」を拝見して，そこにアカデミズム・プラス・アルファの文学精神の所在を知った。

　英文科卒業者だけでなく，東大の博言学科出の岡倉由三郎教授も，言語学科出の市河三喜博士も，英文学を深く愛し，言語学者であると共に，英語教育の偉大な功労者であり，人間的影響も広くてしかも深い。私自身は東大に入学する以前に，東京高等師範学校で四年のあいだ諸先生に英語を教わったが，二ケ年教えていただいたのは上条辰蔵先生だけである。先生は東京外語を出られた秀才で，アメリカから帰朝された最初の年に，私どものクラスを教えられた。前年の石川林四郎先生はテニソンとポウとを講義されて大いに文学を談られたのに，上条先生は詩も小説も劇も教材とせず，アメリカのユニテリアンらしいチャニングの講演集を読み，次の年にはエブリマンズ・ライブラリの英国随筆集をテクストにされ，演説集を読むというよりは，ご自分で演説なさるように，機関銃の猛烈なスピードで，流麗にしかも熱烈に講読された。その熱烈さには劇的な文学精神が感じられた。私の保存していた書簡は，芥川竜之介や足助

素一たちからの来信も，戦災でことごとく灰になったが，不思議な所から次のたった一枚の先生直筆の年賀状が発見された。

A Happy New Year

For ever young, in causes just and right,

Oh, boldly march we on with dawning light!

January, 1924   T. Kamijo

御家族一同の写真入り印刷賀状も頂いたことを記憶するが，何一つない。そしてこの残る一葉に自筆で書かれたカップレットは，先生が英詩にも心をこめられた証拠として役立っている。これは高師を出てから三年目の正月であった。後年私は先生に日大高師部に御出講をお願いして，しばらく来ていただいた時，先生がフランシス・トムソンの難解な長詩を時おり読んでおられると話されたので，先生も文学的なプラス・アルファを重んじておられたとさらに確信した。教室で文学を口にされなかったのは，アルファばかりになってはとの用心から，プラスの左がみんなゼロにならぬよう，なるべく得点を重ねるようとの親心からであったと思われる。

　私は英文科に入学してニコルズ，ブランデン，市河，斎藤諸先生に教えられたことを，この四十年いつもしあわせに思い，誇りに思い，有難く思っている。文学を愛する先生たちのプラス・アルファから，人間観，人生観，世界観に，光となり力となるものを受けいれたおかげで，ここまでどうやら一すじの道を歩みつづけることができた。私どもの入学した年に，ハロル

254

ド・バーマが，今でいうと二単位分くらい英語教育の技術に関して連続講演をした。話の内容については学生間でいろいろ批判もあったが，話の技術にはみんな感服した。今にして思えば，彼も上条辰蔵先生と一脉相通ずる親心から，文学の愛をつつんでいたらしい。一部の人々のあなどりと悪意にもめげず，形勢日に日に非となる時勢に抗して，英語教授法の革新のために終始一貫して努めた態度には，実用プラス文学的アルファが感じられるではないか。さて私の道はもう文字通り日暮れて，まだなかばにも達しないけれど，急がず休まず，とにかく歩けるかぎり歩きつづけたいものである。

（日本大学教授）

私 と 英 語

小 川 芳 男

「明治百年と語学」と云っても漸く半世紀を生きたにすぎないので「私と語学」と云うような内容になってしまう。私が英語の学習を始めたのは丁度明治五十年からである。その時私はまだ小学生であったが小学校の教師に英語の好きな人がいて暇のあるたびに英語の手ほどきをしてくれたのである。そのお蔭で中学に入学した時にすこしばかり同級生よりは英語ができた。できるから教師にほめられる。ほめられるとうれしくて勉強する。勉強するからますますできるというようなことで英語と取組んで今日に至ったが，日暮れて道遠しの感じである。子供の頃の客観情勢は分らないが，子供心にも欧化主義全盛時代であったような気がする。小学校の頃の先生が英語が好きであったせいかも知れないが，欧米のものは何でも日本のものよりは立派であるというような話が多かった。地方新聞に英文欄があったのをみてもそのことはうなずけよう。

中学時代をふりかえってみて，英語の学習で私の脳裡に残っているのは発音の面白さと，内容の面白さである。現在英語英文学を専門にしている人に英語が好きになった動機を聞いてみると，最初に習った先生の英語の発音がきれいだったというの

が大部分である。私のばあいもその例外ではなかった。語学の学習には音声が大切であることはこれでも分る。内容が面白かったというのは大きく私達の使った教科書が英国のものであったせい（Royal Prince Readers）かも知れない。私及び私の前の時代の人は殆んど外国の教科書をそのまま使っていた。その特徴は natural な英語で natural な内容ということであった。その点教授法の理論なり技術が進むにつれて，機械的な英語になり人工的な内容になり勝である。英語の学習が英語そのものの学習と共に英語的思考や風俗，習慣などを学習するのだとすれば，英米で使用しているそのままの教科書をわが国で使用することの意義もまた無視できない。終戦後のことであるが，ある英国の出版社から英語の教科書を出す契約をしたが，日本の検定制度が彼等を満足させることができず断念したことがある。第一課のはじめに My name is Ned. Your name is Tom. というような文があったと思う。彼等にとってはそれが最も natural な英語であるが，普通従来の日本の教科書では My, Your のような人称代名詞の所有格は大体第五課あたりで始めて出てきているのである。旧制中学と新制中学では学科の内容も生徒の質も違うので外国製の教科書がよいか日本製の教科書がよいか簡単には結論できないが，いささか今昔の感なきを得ない。

東京外語の英文科に入学した昭和二年はパーマー博士の The Oral Method の全盛時代であった。各地で模範授業や公開授

業が行なわれた。パーマー博士自身もしばしば模範授業をされたり，委しい懇切な授業批評をされた。東京高師で行われた村岡博氏の授業に対する批評はすこし酷であると云われたほどであった。村岡氏の授業は真に見事であったが stress のおきどころがまずいというのが主な批評であった。内容は丁度時間のところで，How many minutes are there in an hour? There are sixty minutes in an hour. とか How many hours are there in a day? There are twenty-four hours in a day. というような会話が巧みにとりかわされたが，授業後パーマー博士は答の方の sentence stress はそれぞれ sixty や twenty-four にあるので全体が平板な intonation では会話が生きてこないという趣旨であった。とかく模範授業の批評というのはおざなりになりがちなのであるが，博士の批評は常に卒直であり，情熱的であった。この点一部の人々からは誤解を受けたり，時にはうらまれもしたのではないかと思う。その他，私が直接参観して感銘した授業の中には，福島中学の磯尾哲夫氏，東洋英和の斉藤静子女史，東京高校の沢村寅二郎氏，横浜高商の西村稠氏，一高の井上思外雄氏などがある。このように当時は単に中学のみでなく，高校，高商など（現在の大学の教養学部）の模範授業も盛んに行なわれた。その当時の市河三喜先生の言葉で忘れないものが二つある。一つは高校の授業を参観された市河博士が英語の授業が専ら日本語で行なわれているのをごらんになって，もっと英語を使ったらどうかと云われたところ，ある

教師が私は英語を教えているのでなくて日本語を教えているのだと答えたということ。更に市河博士はもっと教室で英語を使えば校長が同情して早く留学させてくれるだろうと笑いながら云われたことである。もう一つは仙台で行なわれた英文学会で，万国音標文字を日本に輸入することに関しては私も責任があるが，現在のように万国音標文字万能には問題がある。音標文字に対する充分な知識なしに，あまり音標文字をふり廻すのは赤ん坊に名刀を持たしているようで，危険でみておられないと云われたことである。

第二次世界大戦後は一時 The Oral Approach 全盛の時代となったが，The New Method という意味では The Oral Method と The Oral Approach は専門的な術語をのぞいては一部の人が云うほど教授理論も教授技術も違っていないというのが私の理解である。何れにしても，この二つの教授法が日本の英語界に紹介され，日本の英語界に刺戟を与え，一大貢献をなしたことは何人も否定し得ないところで，大きな歴史的事実として永く日本の英語教育界に記憶されるであろう。

日本の英語教育界にとってもう一つの大きな事件は，英語放送の開始であろう。特にその初代の放送者岡倉由三郎氏の放送は英語は勿論，その使用する日本語の立派さに於て，その説明の内容の豊かさに於て，殆んど絶品と云っていいものであった。英語を全く解しない人々が喜んで聞いていたという事実はその話術の巧みさを物語るものでもあろう。英語を広く一般大

衆のものとした意味に於ても特筆すべき出来事であった。

　岡倉由三郎氏に始まった語学放送は第二次世界大戦後，特に民間放送が始まってからは殆んど毎日毎時テレビにラジオに語学放送の聞かれぬことはないように進歩発展した。私は語学放送にはテレビよりもラジオの方がより効果的な面をもっているという持論であるが，何れにしても語学放送が日本の語学教育の向上に務めている役割は決して軽視できない。戦後テレビが漸く盛んになろうとしたとき，ブランデン氏と会談したことがある。その時はまだテレビ放送は始まったばかりであり，教育放送などはなかったときなので，私はテレビの教育的効果について懐疑的な発言をした。それに対して，ブランデン氏は新らしい発明は前向きの姿勢でこれを如何に効果的に用いるかに努力を集中すべきである。何となれば好むと好まざるとに拘わらず，このような発明は進歩をしても後退はしないものだからということであった。そして今ふり返ってみてブランデン氏の説が正しかったことを痛感せざるを得ない。今日では，ラジオもテレビも語学教育の不可欠な手段の一つとなっている。同じようなことがテープ・レコーダーについても云える。特にテープの発明は語学教育を一変させたといっても過言ではないであろう。このような視聴覚教具の発明によって語学学習の中心である音声面の教育は長足の進歩をとげた。世間では往々にして若い世代の人の語学力の不足をなげくが，少なくとも音声面に関しては若い世代の方がはるかに優れており，戦前の比ではな

い。それは国際情勢もさることながら，視聴覚教具の発達に負うところが多い。またテープ・レコーダーを利用した語学実験室（language laboratory）は音声の自学自習を可能にし，将来の改良発達に期待されるところが多い。ただ私個人としては，audio-visual aids はあくまでも aid 即ち語学学習の補助であるから学校教育に於て余りこれに頼りすぎることには反対である。語学教育の中心はあくまでも教師自身にあることを忘れないようにしたいものである。例えば，audio-visual aids の発達は教師の仕事を軽減するものでなくて教師の仕事を加重するものであるという自覚が大切である。即ち教師は新らしい機械の利用法を考えなくてはならぬからである。機械は教師がその master になることによって始めて威力を増すもので，教師が機械の servant になったのでは意味がない。その意味で私は audio-visual aids は生徒よりもむしろ教師が利用すべきものであると思っている。教師が audio-visual aids によって自己の実力を向上させ，立派な力を身につけて教室にのぞめば生徒はそれによって大きな利益を得よう。無批判に新らしいものに飛びつく態度は日本人の通弊であるが一考を要するところである。

（東京外国語大学長）

旧制高校のドイツ語

星　野　慎　一

　先日，田舎で郵便局長をやっているKが上京したので，久方ぶりで高等学校の同級会をやった。急の召集だったので集まったのはたった四人だったが，たいへん楽しかった。昔応援団長だった，いまはさる会社を経営しているKと，尺八の大師範Sと，私だった。社長のKは言った。

　「四十代までは，よく高等学校で，ドイツ語でいじめられる夢ばかり見て，よわったよ。」

　Kは応援団長のほかに柔道部の選手でもあった。その上，あいきょうのあるおませさんで，女性にももてたから？　いきおい，ひまがない。ドイツ語の試験など，大のにがてである。大きな目ざまし時計をぶらさげながら，無精ひげをぼうぼうと生やして寄宿舎からかけつけたKの姿が想いだされて，甚だユーモラスである。

　「いや，まったくそうだよ。あんなにいじめられてさ。ほかのことはなんにもできなかったな。いま考えてみると，あんなにドイツ語をやる必要があったかね。」

　尺八大師範の言葉である。この風流大居士にとっても，ドイツ語の想い出はおもしろくない。すると，統計にくわしい田舎

262

紳士が言った。

「いっしょにはいって，いっしょに出られたのがたった十六人。あとは，みんなドイツ語でやられたんだ。四十人入って，たった十六人だからな。おれたちは二十六人卒業したが，あとの十人は，上からのおさがりだ。」

「いやにくわしいな。そうすると，おれだってさしずめ，秀才じゃないか。なにしろ，ドイツ語をつかまないようにするのは，容易なこっちゃ，なかったよ。」

応援団長が，やや得意になる。私たちは大正十五年に，旧制新潟高等学校の文科乙類という組に入学したクラス・メートである。「つかむ」というのは，その当時，「落第点をとる」という，学生仲間の隠語であった。文乙というクラスはドイツ語が第一外国語だったから，いちばん重要視された。週，文法が五時間，読本が二時間，ドイツ人の会話の時間が三時間。三人の先生が入れかわり立ちかわり，きたえたのである。ことに，１年生のとき，「鬼だるま」と尊称をたてまつられた斯界に鳴りひびくきびしいＹ先生だったから，たまったものではない。さすがのわんぱく連中も，この文法の時間だけはちぢみあがった。文法の時間が休講になると，一日中，学校が休みになったような錯覚にとらえられた。が，このＹ先生にも，盲点があった。先生はお酒が好きである。二日酔いのときには，かならずお休み。それから，雪がたくさんふると，休講だった。脚の若干わるい先生は，おっくうがりやで，雪がたくさん

ふると出てこなかった。それが適当にくりかえされたので、私たちは息ぬきができたのである。「明日は大雪がふらないかなあ」と、よく教室で言いあったものだ。

　旧制高等学校のドイツ語の特徴の一つは、哲学的な、ときには科学的な、途方もなくむつかしてテキストを読んだことだ。二年目には「宗教とは何ぞや」などという、翻訳してもよくのみ込めないような教科書が用いられた。が、みんな知識欲にもえていたから甚だ満足していたのである。「超越的」とか、「超絶的」とか、「先験的」とかいう単語をおぼえて、得意になっていた。そのくせ、「マッチを一本ください」と言えなかった。一般に会話など、ばかにする傾向があった。精神貴族のつもりだったのである。そういう弱点を補うためにドイツ人がいたのであるが。

　私たちのころには、ディートリッヒというカトリックの坊さんがいた。この頭のはげた大柄の坊さんは、年少の私たちにとっては六十才以上に見えた。それにしても、顔の色つやがとてもよかった。「いったい、いくつくらいだろう？」というのが、クラスぜんたいの疑問だった。あるとき勇敢な奴がたずねた。

　「先生は、おいくつですか。」

　もちろん、質問は日本語である。

　「三十六才！」

　という先生の答えがかえってきた。みんな、びっくりした。

　「わけえんだな！」

すると，日本語のたっしゃな先生は答えた。

　「まだ，わけえんです！」

　ディートリッヒ先生の愛称は「D公」と申しあげた。頭文字のDに公をくっつけたのである。先生は，あいきょうがあって，奇智にとんでいた。ときおりしゃれをとばして，みんなを笑わせた。或るとき，教室のすぐかたわらの田舎どおりを，大根売りのおばさんが通った。とても哀調をおびた声で

　「でえこー，でえこー」

　学生どもは「D公」を思いだして，ざわめきたった。すると，先生は大きな声で

　「デーコー，デーコー，いっぽんいいらねーかねえ」

　と言って，みんなをどっと笑わせた。この先生を，或るとき，ゆでだこのように怒らせて恐縮したことがある。私はその事実を昨日のようにはっきりおぼえている。が，その犯人がK応援団長だったということは，このたび，四十年ぶりに私はようやく知ったのである。

　ドイツ語がわかりかけて，黒板にドイツ語のいたずらが書いてみたいころだった。D先生の時間が始まる前，黒板に

　Joseph Dietrichs Frau ist schön.

　と書かれてあった。言うまでもなく「ヨーゼフ・ディートリッヒ夫人は美人である」という意味である。別にかるいいたずらだったから，誰も気にしていなかった。いつものように名簿を点検し，やおら黒板のほうをみた先生の顔が，みるみる焔の

265

ようにまっかになった。

「これを書いたのは，誰ですか。たいへんな侮辱です！　私には妻はありません！　こんなこと書かれて，私，ローマ法王に破門されます！」

そのけんまくがあまりにひどかったので，犯人？　も出頭する機会を失ってしまったのであろう。先生は一人でかんかんに怒って，授業はとりやめになった。

「いやはや，あのときのけんまくにはおどろいたな。D公，すごかったもんな。」

「いや，まったくだ。時間がつぶれてうれしかったけれど，みんな，しゅんとしたものな。それはそうと，あの犯人？は，いったい誰だったのかね？」

と，私は尋ねた。

「それが，おれなんだよ！」

Kは，自分の鼻の上を指さした。四人は，どっと笑った。

大正の末期から昭和の初めにかけては，経済的には不景気だったが，高校生活はいたって自由で，軍事教練もレクリエーションていどで，大平楽の時代であった。軍人も家に帰ってくると，こっそり背広をきているころであった。昭和十年以後の高校生活とは，天と地ほどのちがいがあった。或る朝登校の途中，師範学校の裏の小さな道にさしかかると，幼稚園にいくような小さな子供たちが，かたまって，わいわいはやしたてている。近づいてみて，おどろいた。子供の真中に下駄をぬいで腰

をおろし，ろれつの回わらぬ舌で子供たちと何やらやりとりしている男が，なんと同じクラスのYではないか。このYはクラスの最年長者で，二十六才ともいい，一説には二十七才とも言われていた。新任のO先生がこのYに向って怒ったとき，

　「きみは僕より年長者かもしれないが，教室じゃ，僕が先生だ！」

　と言ったのを，はっきり記憶している。このひげだらけの老書生は，満洲で炭坑夫をやったこともあるという苦労人で，お人好しだったが，酒に目がなく，馬力が入ると，とんでもない脱線をした。途中から私はYをつれて教室へ入った。Yは上きげんでしきりに大声でしゃべるので，すぐ先生の前の彼の席から，みんながいちばんうしろの席に移した。D先生の時間である。先生が入ってきて，「起立，れいー」がかかり，一瞬しゅんとなった。すると，いちばんうしろの机にへばりついて半ば眠っていたYが，とつぜん大きな声をはりあげた。

　「先生！」

　「なんですか？」

　「先生！　Kが先生の悪口を言いました！」

　応援団長のKもよわりはてた。私たちは二，三人で，彼を教室の外へつれ出した。高等学校時代のドイツ語を想いだすと，私にはYは忘れられない人であった。或る意味で，彼は大人でもあり，酒好きで奇行があったが，また一面人間味もあって，私はYに好意を持っていた。彼はドイツ語の試験の前夜になる

と，よくふらりと私を訪ねてきて，山をあててくれとたのんだ。これには，へいこうした。そういうときには必ず一杯きこしめしていて，多弁であり，夜の一時二時まで自叙伝がつきものだった。二年の学年末試験の時である。明日はゲーテの「美しい魂の告白」という小説の試験である。彼はこの試験に運命をかけていた。なぜなら，一学期も落第点をつかんでおり，いままたつかめば，容赦なく落第である。旧制高校の採点はきびしく，乙のクラスでは，ドイツ語のためにクラスの四分の一くらいが落第するのは，朝めし前の話であった。この晩はいつになくYも緊張していた。私のかんはわるいが，彼のため十いくつも山をはり，Yは一生懸命におぼえた。そして二人は約束した。試験場で解答可能の問題があるごとに，Yがどんと床を踏みならすこととなった。彼は午前二時すぎに帰っていった。

　翌日がやってきた。Yは最前列，私は後から二列目。しばらくすると，Yがどんと足ぶみした。それから，もう一つ，どんと鳴った。が，音は二つだけであった。問題は五題である。一つ足りない。それきり，私は彼に逢えなくなった。彼はドイツ語のため学校を追われたからだ。私たちが大学へ入ってから，彼が亡くなったという噂が，どこからともなく流れてきた。

　　　　　　　　　　　　　　　　（東京教育大学教授）

268

Spoken English について

中 尾 清 秋

先般，何かの必要で，もとロンドン大学の Institute of Education の英語科主任をしていた Percival Gurrey 博士著の " Teaching of English as a Foreign Language " と題する書物に目を通していたら，その中に，私が普段から語学教育ということに付いて考えていることが書かれているのを見て，大いに我が意を得たり，という気持になった。即ち，同博士によると，外国語はすべて音声言語（spoken language）として先づ教え，一年乃至二年経ってから始めて文字というものを生徒に見せるべきだというのである。

ところが悲しいことには，わが国では H. E. Palmer 先生などが，いわゆる Direct Method を早くから提唱されていたにも拘らず，多くの人達は依然として「外国語教育」即「外国文字の教育」という型に嵌まった考えを持っている。

この旧態依然たる語学教育の行き方に，真正面から対抗している，組織化された唯一の試みは，東京教育大学の付属小学校の4年生を対象として，目下実験的に進められつつある「テープによる英語教育」ではないかと思う。「テープによる」ということは，とりもなおさず，「音声のみによる」ということで

ある。何故ならテープに収め得るものは音声だけだ から で あ
る。

音声による言語教育が、それが自国語の場合であろうと外国
語の場合であろうと、最も自然な語学の身に付け方であること
は今更いうまでもない。誰しも、学校に上がって、文字を習い
始める前に、家庭において、両親兄弟姉妹から、非常に沢山の
ことばを、音声として、教わるのである。例えば、「御飯」と
いう漢字は、小学校三年位になって教わるが、これなどは、音
声言語としては、日本人ならば、誰でも、満一才前後で覚え、
且つ使っていることばである。「御飯」をもし誰かが「五飯」
と書いたとしても、それを音声言語の単なる標音記号と見る限
り、一向差支えない筈である。しかし今の小学校の先生で、生
徒が「御飯」を「五飯」と書いて黙っている人はないだろう。
それは丁度アメリカの子供達が学校へ行く年令になって始めて
accept と except の spelling の上での区別をやかましくいわ
れるのと同じである。彼等は音声言語として、この二つの単語
を何の区別もせずに、そして何の混乱もなしに、家庭において
何年も使って来ているので、学校へ入って始めてこの両者を区
別することを要求されて、学校とは何とウルサイところかと思
うに違いない。

事実、native speakers は、大人でさえも、accept と except
は発音上、何ら区別をしていない。例えばアメリカ人の少年
に、 " What would you like for your birthday ? " (お誕生

日には何が欲しい？）と聞けば，腕白者の彼は欲ばってきっと
こんな風に答えるだろう —— "I'll accept [əksépt] anything
except [əksépt] dolls." （何だっていいや。でもお人形はいや
だよ）と。

　音声言語としての英語における accept と except の学令期
以前の子供達による完全な同一視という現象を例に取って考え
て見ても分るように，こういう意味における英語を学ぶという
ことは，単語の spelling とは関係なしにことばを覚え，且つ
使うことだと思う。

　私は少年の時，横浜の St. Joseph College の初等部にいた
が，全部で10人前後の同級生の中に，たった一人の日本人であ
る私のほかに，東洋人では，これまたたった一人の中国人の少
年がいた。彼は，今にして思えば，学校へ入る前に，恐らく家
庭においてであろうが，明らかに文字言語としての英語を教わ
っていた。何故なら彼一人が——ここでは私自身のことはいわ
ないことにする——例えば extraordinary という単語が教科書
に出て来ると，a と o とを別々に発音したり，また whistle と
いう単語の t を発音したりして，先生に叱られていたからであ
る。他の英米人の少年達がそんな間違いをしなかった理由は，
彼等は家庭において両親兄姉達がこれらの単語を正しく発音す
るのを聞いていたのみならず，whistle などという単語の場合
は，自分達でようやく片言がしゃべれるようになった時分から
何度も使った経験があったからに違いない。

以上述べたことは英語を音声言語として覚えているために得をした場合かも知れないが，そのために損をするということもあり得る。例えば英語には -ance で終る名詞のほかに -ence で終るものもある。文字言語として英語を学んだ日本人は presence はプレゼンスと覚え attendance はアテンダンスと覚えているから混同ということはあり得ない。ところがアメリカ人などは，大学教育を受けた人でも，例えば perseverance なのか perseverence なのか自信のない人がいくらもある。それは英語というものを最初に音声言語として覚えた彼等にとっては presence も， attendance も， Perseverance も，その語尾の発音に関する限り，全く区別がないからである。

　音声言語として英語を覚える英米人の子供達は，一箇の意味の単位を構成する一連の単語を全部連結してしまって――もちろんその連結過程においては種々の思い切った省略や脱落が行われるのが常であるが――あたかも一箇の単語のようにして覚え，且つ使っているのである。彼等の日常の会話の中には，例えば [smiː]， [kəmɔ́ːn]， [soumái] などという珍単語が頻発するが，これらは夫々 "It is me," "Come on," "So am I" という立派な sentences が圧縮されてきたものなのである。ここでは私は便宜上音標文字を使ったが，アメリカの，しかも余り高級でない漫画本などを見ていると，普通の活字を使って "C'mon !" (="Come on !") だの "Whyntcher go ?" (="Why don't [または didn't] you go ?" などと出て来る

272

ので面食らうことがある。

英語のみならず，すべて外国語というものに対して，文字言語としての態度以外に取ることを知らない日本人は，この種の音声の連続を，夫々の構成要素である単語という単位に分析還元して見てからでないと，全体としての意味がつかめないというのだから厄介である。しかも実際の spoken English の場合，夫々の構成要素である単語なり syllables が，極端にくづれた形になっているために分析がほとんど不可能であるということも忘れてはならない。そしてその結果，結局チンプンカンブンというのが落ちであるというのでは余りにも情けない。

これは恐らく作り話だろうと思うのだが，ある雑誌にこんな一口話が載っていた。ある日本人がアメリカへ行ったら，一人のアメリカ人が色々話し掛けて来た。何をいっているのかサッパリ分らないが，しきりに "Jew! Jew!"（ユダヤ人！　ユダヤ人！）というので，自分のことをユダヤ人と勘違いしているなと思い，"I am a Japanese!"（私は日本人です）といったら，相手は変な顔をして行ってしまった。どうも気になるので，帰国後，ある英語の達者な友人にその話をしたら，その友人に「そのアメリカ人は貴下を Jew 呼ばわりしていたのでは決してなく，きっと貴下に "Did you sleep well?"（よく眠れましたか？）とか "Did you have breakfast?"（朝食はすみましたか？）とか，親切に聞いてくれていたのでしょう。」と説明された，というのである。

これは余りよく出来ているので作り話に違いないと私は思うのだが、とにかくアメリカ人の話す英語では "Did you...?" がつまって Jew のように聞えるのは事実である。文字で "Jew seem?" と書いたのでは何のことか分らないだろうが、眼を閉じて "Jew seem?" ともう一度いって見ると、何とこれは "Did you see him?"（貴下は彼を見ました?）のことだということが分かる。"Jew seem?" が "Jew seem?" のままで分かり、また自ら使える人は音声言語としての英語を身に付けている人である。そしてこれを "Did you see him?" という具合に、構成要素である四箇の単語に分析還元して見なければチンプンカンプンだというのが、文字言語としてしか英語をやつたことのない人の弱味である。

　私が英語のエの字も知らないで、横浜の St. Joseph College の初等部にほうり込まれたことは既に書いたが、その時分、生徒達の間で盛んに行なわれていた遊戯の一つに shooting marbles というのがあった。ラムネの玉のような玉を指先ではじいて相手の玉に当てるという極めて幼稚なものであった。二三人でやるゲームであつたが、いつも見物人が多勢集まったものである。一人が、さて誰の玉に自分の玉を当ててやろうかと、考えていると、見物の少年達は口々に [góufʃəm] と、私には全く訳の分らないことを叫んで、当てやすそうな玉を指して声援を送るのである。玉をはじく番の少年が皆にいわれた通りに、その玉に自分の玉を見事当てると、見物の少年達はわが

ことのように喜んで［tóuldʒə］と繰り返し，繰り返し叫ぶのである。始めは何も分らなかった私も次第に situation から判断して，最初の［goúfɔəm］は「あの玉を狙え！」というような意味だろうと見当をつけた。そしてもう一つの方の［tóuldʒə］も，やはり situation から推して，「そら，僕のいった通りだったじゃないか！」という意味だろうと勝手なことを考えて，何も分らないままに，自分も皆と一緒になって［goúfɔəm］だとか［tóuldʒə］だとか叫んでいたことが今なお少年時代の楽しい思い出の一つとして脳裡にこびりついている。［goúfɔəm］が "Go for him！"（彼を狙え！）であり，［tóuldʒə］が "I told you！"（僕は君にいっただろう！）であるということが分かったのはそれから随分後のことであった。

さてこれで私に割当てられた頁数を大体使い尽したことになるが，最後に何か結論のようなものを付け加えることをお許し願い度い。

目下，我が国の語学教育界での関心事の一つに，外国語を子供の時から教えるということの可否の問題がある。アメリカ，ソ連を始めとして，デンマーク，スエーデンなどの例を上げる迄もなく，外国語教育開始の時期を年令的に大幅に引き下げようというのが，世界的な趨勢であるにも拘らず，一方に於いては，外国語教育を余り早く始めると自国語に混乱を来たすという理由で反対する人がいる。自分を例に取るのは甚だおこがましいことであるが，子供の時から外国語教育を受けた一人とし

て私は，事実この自国語の混乱という問題に付いてよく質問を受けるので，敢えてこの紙面を借りてお答えすることにする。

　私は満9才の時から，前述の St. Joseph College の初等部へ（父の意志で）ほうり込まれて，一年後には，学科では今でいう算数のみならず，体操から運動場に於ける喧嘩に至る迄，ことごとく英語でやっていたが，一旦家へ帰れば，勿論両親兄弟姉妹と自由に，そして何の混乱もなく，日本語で話していたし，また通学の途中，駅等で，誰かに日本語で話し掛けられて，あわてて英語で返事をしてしまったなどという記憶は全くない。逆に学校で誰かに頭を叩かれて "Ouch!" というべきところを mental gears の切り替えを誤って「痛いッ！」と叫んだという記憶もない。つまり私に関する限り，幼少の時から外国語を始めたために自国語に混乱を来たしたなどということはなかったと断言出来る。

　もう一つ私がよく受ける質問に，英語を spoken language として最初にやったことが，後に written language としての英語を理解するのに役立ったと思うか，というのがあるが，私の場合は，spoken language としての英語と written language としてのそれとの間のへだたりが常に僅少であったために，前者は後者の理解に大いに役立ったと正直にいえる。このことをもう少し具体的に説明するならば，つまり，初等部でも上級に進むにつれて，例えば世界史のような科目がカリキュラムに加わって来る。そうなれば，当然私は classmates と，やれヘン

リー八世がどうしたの，ローブス・ピエールがどうしたのと，授業時間以外に——特に試験前は——勿論英語で，話し合うようになったが，そのことが written language で書かれている教科書の理解を助けたことはいう迄もない。

　要するに，spoken language としての英語の知識が written language としての英語の理解に役立つのは，前者の内容が後者のそれと大体釣り合っている場合に限ると私は考える。それが，例えば日本の中学・高校生や大学生の場合のように，spoken language としての英語はいつまで経っても " What's this？" —— " That's a book " 程度の幼稚な会話の域を脱し切れず，一方 written language としての英語では教室でどんなものを読んでいるかというと Shakespeare の " Romeo and Juliet " であって，しかも，若し授業時間以外に " Romeo and Juliet " の話をするとすれば，それはすべて日本語でやるという状態では，written English の理解に spoken English が役に立つかという質問に対して，私としては No！としか答えようがない。それは日本の小学生が，いくら日本語が喋べれるからといって，例えば日本の科学技術の発展について所見を述べよといわれて，何もいえないのと同じである。つまり満10才の spoken English では大人の written English はどうすることも出来ないのである。この事態に対処するための具体案を私は勿論持っているが，それはまたの機会に譲ることにする。

（早稲田大学助教授）

テープ・レコーダーと私

石 井 正 之 助

　最近10年ほどの間の語学教育における聴覚教具・教材の改良・発達と，その利用の範囲の拡大にはめざましいものがある。中でもテープ・レコーダーとテープ教材の普及度の極めて大きいことは今さら言うまでもない。私自身もテープ・レコーダーには深い恩恵を蒙っている。この磁気録音機と私の切っても切れない（？）縁の始めについてまず書かせていただこうと思う。

　昭和26年（1951年）から27年にかけて，GARIOA 資金留学生として渡米，Ohio 州の首都 Columbus にある Ohio State University に学んだ時，下宿先の Hyde 夫人の使っていたワイア・レコーダーが，磁気録音機と私の最初の出会いであった。Hyde 氏宅では同じ教会に所属する何人かの婦人が月に1回集って，教会の活動やら時事問題を討議していたが，夫人はこの会合に録音機を活用していた。ある日私は夫人からこの機械の扱い方を教えられて，その性能や便利さに驚き，そしてまた魅せられ，ひそかにこの機械の購入を思いたったりした。夫人は私に日本の歌を数曲歌わせて録音し，「記念にとっておく」などと言って私をまごつかせたが，銀色に輝く細いワイアはこの夫人の知性の象徴のようでもあった。一人息子は大戦中

conscientious objector であり，長女も次女も働らきながら学ぶ Antioch College を出て，宗教的な平和運動に献身しているという，理想主義的進歩派の一家だったが，録音機の使い方にもこの夫人のものの考え方がうかがえる気がした。

O. S. U. では一度用事で Speech の学部の建物にでかけた時，はじめてテープ・レコーダーにおめにかかった。ただしこれは，いわばプロ用の大型な精巧のもので，いろいろな計器類の中に組み込まれていて親近感は湧かなかった。

視聴覚教育についての文献を見ると，この頃すでにテープ・レコーダーの語学教育に果す役割についての論文や報告が，語学・教育関係の雑誌にはあらわれている。ワイア・レコーダーもあちこちの大学で語学のクラスで使われていたようである。同じ O. S. U. に留学していた北大の K氏，日大の Y 氏などは，早速テープ・レコーダーを買い込んで，将来の研究や授業のための材料を仕入れていた。私にもワイアよりはテープの方が将来性がありそうなことぐらいの見当はついたし，K氏の集めている文学的資料に食指が大いに動きもしたが，一台 130 ドルという大きな出費は，専攻の17世紀関係の作品や研究書の入手に夢中だった当時の私には，遠い夢でしかなかった。

留学から帰って 4 年ほどの間は録音機との縁は切れたままだった。それが再び結ばれたのは，語学教育とは直接関係のない，イギリスの詩人との英詩合評の仕事を，「英語青年」の外山滋比古氏から依頼されて，31 年の 4 月から始めたためだっ

た。東大講師として来日中の Anthony Thwaite 氏および Anne 夫人と私の3人で，17世紀の詩人たちの作品を取上げて英語で釈義やら批評を加えようというのである。この3人の対談の記録係に思い付いたのがテープ・レコーダーであった。ただし私はまだ自分の機械を持っていなかったので，レコーダーは研究社のを借用することにした。毎回当時の編集助手K氏が世田谷弦巻の Thwaite 氏宅まで重い録音機（たしか Home とかいう商標名の）の運搬係となり，7インチテープを使って1時間半前後の対談の録音係の役も買って出られた。話の途中で，Thwaite 氏が *S. O. D.* を引きに立ったり，通りを走る玉川電車の警笛が妙に高くて気になったり，犬の鳴き声やビールを注ぐ音や電話のベルなど，中断や雑音の混入もすべてそのまま，脱線もあり沈思黙考もあり，予定の対談を終ったあとでの雑談の方が面白いこともあった。速記による記録とちがって声音や息づかいにこめられた感情が再生できるのがこの機械の強みだと思った。終って持ち帰ったテープを再生しながら，音声を文字に直す段になって苦労した。話の最中には Thwaite 氏の言うことも夫人の言うこともすべて解ったつもりであったのに，再生されたその言葉の中に意味のとれない箇所が出てくることがある。してみると機械はその場の雰囲気までは充分伝え得ないのだろうか，それとも不明の部分だけを再生しようとして，前後のコンテクストの中においてみる努力が足りないのか，そんな反省をすることもあった。

この合評は翌年１月まで続けられたが，まがりなりにもこの仕事が発表されたような形をとることができたのは，忠実な記録係——テープ・レコーダーのおかげであった。テープ・カウンターによる必要箇所の容易な発見，巻戻し，早送り，反復再生，こういう機能が利用できてはじめて毎月１回連続10回の苦業を切りぬけられたのだと思う。残念なことは，記念として研究社から譲られた Dryden 合評のテープが，数年後気付いてコピーをとろうとした時，すでに磁性が消えかかって，再生不可能となってしまっていたことである。

　つぎのテープ・レコーダーとの縁は，拙著「英文朗読法」中の音調のパタンを William McAlpine 氏夫人に読んでいただいた時のことである。３年前の Thwaite 氏夫妻との対談の時は英語の内容が何よりも必要であったが，今度は音調やストレスの強弱などを聞きとって表記しなければならないので，別の形の困難に苦しめられた。何よりもピッチの上下の動きの多いイギリス人（ことに婦人）の発音を，Pike 式の 1-2-3-4 の４段階のピッチ・レベルで捕えようとするのが難かしい点で，ここで再びテープ・レコーダーの反復再生の機能が私を助けてくれた。都心の某スタジオで録音した disk 作製用の原テープからコピーをとって，勤務校の研究室のテープ・レコーダーで聞いた。材料の一部については再び研究社出版部の‘Home’機の応援を要請，同社のN氏を煩わして McAlpine 氏宅に出向き，Helen 夫人の読み直しや示唆をもとめて録音した。こ の 仕 事

でしみじみ感じたことは，一応 contour をつけた英文も，原朗読者の朗読と付き合わせて見ない限り，相当の熟練者でなければ，もとの音調そのままに再現するのは容易ならない作業であるという，極めて当りまえのことであった。

　私が自分用のテープ・レコーダーを買つたのは35年4月のこと，Hyde 氏夫人のワイア・レコーダーを紹介されてから9年後のことである。求めた機種は Sony-262，家庭用の中級機である。購入の目的の一つに中学生の長男，次男に使わせようという考えもあって，取扱いの簡単さ，重量や価格などの点でこれを選んだが，満5年を経た今日まで，1回の修理もなしに働き続けてもらっている。よい機械にあたったのである。この録音機の必要を感じたのは，NHK の高校英語講座をこの年の4月から担当することになって，自分の放送についての反省をするためであった。（その後「通信高校講座」という名に変わり，内容も主として全国10万の通信高校生を対象とするものとなった。このラジオ，テレビによる通信教育の中の英語教育には重要な問題があるが，ここでは触れる余裕がない。）また，わが国でもぼつぼつ作られ始めた Language Laboratory を，いずれ自分の勤務校にも設置したく，まず録音機の基礎知識を獲得し，録音教材の作製に手を着けてみようという考えもあった。

　放送局のスタジオ内での録音——もちろん語学講座は昔とちがって pre-recorded program なのである——の仕事は，家庭用・教室用のテレコとはだいぶ桁のちがう精巧なメカニズムに

私を近づけたが，同時にいろいろの録音技術，編集技術にも目を開いてくれた。一回の放送時間20分，アナウンサーの前後の枠アナウンスを除いて，正味19分20秒，その中に前課の復習，新教材の提示・展開，整理の三つの段階を収め，音読練習にはできるだけ多くの時間を割かなければならない。あらかじめたてた数箇の項目を敷衍しながら，うまく所定の時間内に言いたいことの全部を入れられれば「no 編（編集不要）」（または「完プロ」）のテープとなるが，一箇所でも咳ばらいか言い直しをすれば「要編（集）」のテープになって，プログラム・ディレクターに手数をかける。しかしテープのもつこの編集の可能性が，ラジオの講座担当者にどれほど大きな安堵感を与えることか。もちろん毎回を「no 編」ですませたいと注意力を張りつめて録音にかかるものの，いつも思う通りにはいかず，正直のところ数年におよぶ放送で，編集不要の形にはおさめても，自ら省みて満足のいくような放送というのはほとんど記憶にない。ある時は録音して帰宅後ふと犯したミスに気づいて訂正を申入れ，次回にその部分を何秒分か言い直して切り張りをしてもらったが，前後の声の調子の変化はどうにもかくしようがなかった。考えてみれば都合のよい日時に何回分でも録音・録画のできるラジオのテープ・レコーダー，テレビの V. T. R., いずれも何という放送技術面の進歩だろう。さらに5年先にはどのような革新が実現していることか，予測もつかない驚きが待ちうけているような気がする。

一方私のテープ・ライブラリも次第に数がふえて，書斎に山積する本同様の脅威となりかけたが，念願かなって学校の L.L. が完成し，テープはその戸棚に移転のめどがついた。語学練習室の運営管理は大きな仕事だが，家では今は週に夜2回，教材のための F. M. 放送のいくつかの番組を，相かわらず忠実に働らいてくれている Sony-262 で録音すればよい。

　最近ことにこの録音機の世話になったのは I. C. U. の Niels Ege 教授と8回にわたって行った日英表現の比較の対談である。語学研究所の昭和39年度計画の一部としての研究で，その要点は同年度大会で報告し，概要は「語学教育」第273号に発表したが，8回の中最初2回を揚場町の研究所で備付のナショナルの小型録音機を借り，残る6回は拙宅で使いなれた「262」によってテープにとった。「英詩合評」の時にはなかった長時間テープが大分手数を省いてくれた。Ege 氏の実演する‘ vocal gestures ’，ある‘ taboo words ’についての慎重な発言ぶり，‘ swearing ’の実例など，テープならではの忠実な貴重な記録が保存できることとなった。今度こそは前の Dryden のテープの失策を繰りかえすまい。それにしてもテープの磁性の完全保持ということは不可能なのであろうか。

　私はもともと機械や電気に弱いので，今でもテープ・レコーダーなり L.L. の故障はすべて技術屋さんまかせである。それでも「蛇におじ」まいと，ひとかどの機械通のような顔をしてあるいは教室に録音機を持ちこみ，あるいは L.L. での授業を

試みている。L. L. は運搬できないが、テープ・レコーダーは超大型チョーク箱と思えばどの教室にも持っていける。要は億劫がらないこと、そしてテープ教材を十分に準備し整理しておくことであろう。Shakespeare や T. S. Eliot は言わずもがな、*Flowering Judas* をテキストに使ったら、作者 Porter 自身の朗読を聞かせてこの作品のこった筆致を耳からも感じさせ、'What did you say?' や同じ意味の 'I beg your pardon.' がでてきたら、米人教師吹込のテープでその音調を聞かせたり言わせたりして、生きた言語のニュアンスに親しませるように。

　L. L. となると、その管理や運営になみなみならない労力や周到な計画性が必要なことは身にしみて感じている。あれこれと多い仕事の片手間にできることではない。しかしテープ・レコーダーだけなら、どうやら私の守備（攻撃？）範囲の中に取り入れることができそうである。思うにテープ・レコーダーは、これからの英語教師にとって、タイプライターと同じくらいの実用性も重要性ももった必備品といえるのではあるまいか。教科書以外の教材をタイプして学生に配布するのと同じように、教師が自分で与えることの困難な英語の音声面の特徴の実例をテープ教材で学生に与えることは、中学校、高校、大学の、どのレベルの英語教育でも、教師のなすべき当然の配慮となろう。教室内での教具としての使用のほかに、教師の自己研修の手段としての利用法もいろいろある筈である。

機械はあくまでも補助的な教具で，授業の中心となる推進力が，学生・生徒と同じ人間である教師でなければならないことは，いつの世にも変りはない。しかし機械の利用方法を研究して，授業の内容をよりよくする工夫は不断に積み重ねていくべきものである。20世紀もほぼ半ばを過ぎて始った磁気録音機の外国語教育への利用が，今後どのような形で進められていくか，その新しい動きに興味と関心を抱くと共に，既に得られた収穫の反省と整理と利用を実践することは，外国語教師に課せられた大きな仕事の一つと言えよう。

（東京学芸大学教授）

同 学 点 鬼 簿

朱 牟 田 夏 雄

さきに僕，同学同年同僚の友上田勤の急逝に遭う。談笑を交えて別れたるわずかに数時間の後なり。多年の交友と君がなお果すべかりし任とを思い，痛惜の念禁ずる能わざるものあるとともに，僕の受けたる衝撃もまた浅からざるものあり。同年の友の死の与うる一種異様の痛撃を実感したる，この時を以てはじめとするに似たり。

隔たること四年余，今夏に至りて高見順の劇的なる悲報を新聞紙の伝うるを見る。高見もまた同学の友，その縁は第一高等学校にはじまって，学窓を共にせしこと六年なり。近時必ずしも縁深からずといえども，なお時に酒肆に会して浅酌微吟の快をともにしたる事もあり。文名漸く高く，精魂を傾けし観ありし近代文学館建設の業もまた辛うじて緒につかんとして倒れたるこの友を思う心もまた切なるものあり。悲しき哉。

思うに昭和五年，市河・斎藤両先生の薫陶を受けて東大英文科の業を終えたるもの二十有五名。今その数を検するに，すでに鬼籍に入りしもの九名，生死の明らかならざるも四名あり。一年次の卒業二十五名は，英文科の歴史にこれを見るも，前後数年に比して本来その数多しというべからず。今，残存の

判明せる者の数十二を以てすれば，あるいは前後の十数年間に稀少価値の最も高きを誇るを得んか。残れる十二はせめて十二の数を保ち続けむことを念とすべし。今は，すでに亡き同学の友の上に思いを馳せて僅かに兄らの上を偲ばむと欲す。兄らもこの駄文を読まるる諸君子も，願わくば斉しくこれを諒せよ。

　三留久雄は同学中最も弱年にして逝きし者か。静岡高校より英文科に学び，一二の学校に教鞭をとりつつ，夙に北星堂より英詩選の教科書を編纂刊行せしように記憶す。斎藤先生編輯の名を冠せし文学論パンフレットには，シェラード・ヴァインズ『古典主義』の翻訳あり，上田勤訳アーヴィング・バビット『人文主義』，ならびに僕訳するところのトムリンソンが著作とともに，昭和九年二月の発行なり。真摯なる学究なりしも，早く病魔の犯すところとなりて夭折せしを痛惜せずんばあらず。

　田上元徳もまた好学の士なり。水戸高校の出，英文科を出でて平生釟三郎氏の下に甲南高校教授たり。上記文学論パンフレットにはスマート『悲劇論』ならびにシドニー・リーが『文芸復興とシェイクスピア』を訳し，旧英米文学評伝叢書にシーグフリード・サスーンを伝す。ほかにドーヴァー・ウィルソンの『シェイクスピアの真髄』を翻訳出版し，また三村と号して学士会月報等に筆を馳せしことあるを記憶す。わが同学中にありては最も早く業を世に問いたる一人なりしが，惜しむべし，世を去りしもまた衆に先んじたるを如何せむ。

　萩谷健彦も水戸高校の出身。東京都立六中に教鞭をとり，当

時の教え子中に今僕が勤務先の同僚某君あり。君の言を聞くに，六中にありてはよく生徒に慕われ，生徒に与えたる薫化もまた少なからざりしものの如し。僕の記憶に存する萩谷は，一面瓢々たる風格を具えたりしが，エリザベス朝演劇の研究にはただならぬ熱意あり（某先輩彼を評してエリザベス朝の劇に淫するものといえるを記憶す），春陽堂より出でたる世界名作文庫中に『マルフィ公爵夫人』が訳（昭和八年）と，さらに文修堂刊『処女王朝風景』の一著（昭和十一年）とを遺す。のち六中を辞し，戦時中は諸出版物に用紙の割当を裁する統制機関にありて，ある種の実力者たりし一時期ありしが如し。「市河先生といえどもわが裁定なくんば著書の刊行は不可能なり」と彼がなかば無邪気に揚言せしを記憶すれど，彼も亦惜しむべし，終戦を待たずして鬼籍に入りしものの如し。

　堀尾浩一は三高の出身，はじめNHKに入り，のち毎日新聞に転ず。その時代には珍しく，在学中よりジャーナリズム入りを志望せし人物なれば，右の経歴は当然本人の望める所なり。性明朗なることも同学中の白眉なりしが，戦時中毎日より特派されてマニラ新聞の経営に参画し，後，戦運利あらず，フィリピンの山地に客死せりと伝聞す。昭和十七，八年の頃なりしか，僕たまたま神戸大学に勤務中，梅原義一君らとともに，新婚早々の堀尾夫妻と一夕を阪神間の某所に会談せし記憶あり。君と同席したる最後なりしならむ。君のフィリピン赴任は当然その後のことなり。なお君の最期の詳細，未亡人の現況等につ

きては，これを僕より詳らかにする者，三高以来の君が学友，
上記梅原君とす。

　石井三郎は麻布中学を経て一高の出身。恐らく同学中最も篤
学の人なり。寡黙にして交友多からず，僕の如きも六年の同窓
にしてなお語を交えたるもの算するに足るべし。一高入学時よ
りすでに志を英文学に立てたりしか，君がしきりに教室を敬遠
あるいは軽遠して，授業時の静かなる寮にひとりこもりて当時
刊行中なりし研究社英文学叢書を逐巻耽読しつつありとの風評
高かりしを想起す。文学部に進みし後も篤学の性はいよいよ磨
かれて，ミルトンとダンテのシミリーを比較検討したる彼が卒
業論文はデル・レ氏その他の激賞を博せりと聞きしこともあ
り。母校麻布中学に教え，のち旅順工科大学予科に赴任す。最
も着実にして最も信頼に値する教師たりしことは想像に難から
ずと雖も，戦後友人某より仄聞せし所によれば，敗戦時満州の
混乱が君の一家に致せし悲運は，けだし筆舌の及ばざるものな
りし如し。僕が聞知せし限りにては，君自身は終戦を一，二週
間後に控えて突如一兵卒として召集の厄に遭い，そのまま終戦
を迎えて杳として消息を絶ち，君が夫人もまた混乱時の心労の
ためか，幾くもなく落命，遺児らは旅順工大の同僚諸氏らが着
のみ着のままにて内地に引揚ぐるに際して，諸氏の好意にて一
人一人別群に加えられて辛うじて帰国の途に上れりと雖も，同
胞家族をだに時に顧みえざりし当時の実情なれば，君の遺児の
中にも道中あるいは帰国直後に難に遭いしもありたりとのこと

なり。これを僕に伝えたるは君および僕の一高時代の級友にて，同人の実弟も当時旅順工大に職を奉じ居たりといえば，その言うところの大要は以て信ずるに足るべし。さりながらかかる一連の災厄も今はすでに二十年の昔なり。祈るらくは難を免れし君の遺児らが健やかに成人して，敢て英文学とはいわず，高潔なりし父君の志を，いかなる道にてもあれ，継ぎ生かしてあらむことを！

以上の五友はいずれも齢四十歳ならずして逝きし者，夭折にあらずんば不慮の死なり。その後しばらくは幸にして同学の訃を聞くことなく，昭和三十年には卒業二十五周年を迎えて小宴を張りたる等のこともありしが，ややありて冒頭に記したる上田勤急死のことありしは三十六年の三月なり。僕が受けし衝撃の小ならざりしはこれまた上に記したるところなれど，君につきては僕，他の知友らと謀りて追憶記ようの小冊子を刊行したることもあれば，ここにはこれを繰返さず。

越ゆること二年なりしか，つづいて後藤忠一の訃あり。君は山形高校の出身。昭和五年袂を別ちし後，しばらく消息に接することなかりしが，後に聞けば誤まって左翼活動に入り，身心の労を重ねたる年月は短かからざりしものの如し。終戦後突如として僕らの前に姿をあらわしたる時は，自らささやかなる幼児保育園を経営すと名乗る。以後時に会し，時に経営の難を聞きて貧者の一燈を献じ，また時に君が自らガリ版に託したる園報の紙面に，山形高校時代，東大時代等の師友が上を記したる

文章を読みなどして日あり。五十数歳にして忽然と逝けるは，主としてはみずから一業を経営せる身心の過労のゆえか。風がわりの生涯なりきと雖も，なお常に太平洋語学研究所の旗幟を掲げつづけしは，いつの日か本来の志望に帰らんことを夢見し君の心懐を語るものというべし。歿後君が手に成りしサッカレーが「ニューカム一家」の訳稿を見る。微力，出版のための媒たり得ざるを深き憾みとす。未亡人健在にして保育園の業をつぎ，遺児も亦成人の寸前にあるはせめてもの慰めというべし。

李敦河は三高出身の秀才。夙に上記文学論パンフレット中にＩ・Ａ・リチャーズ『詩と科学』を訳し，また評伝叢書にウォルター・サヴェジ・ランドーを担当す。誠実温厚の人となりは師友のことごとくに好感を抱かしめしも，当時の国情は朝鮮出身の君を職らしき職に就かしめず，わずかに恩師の情にて母校三高の図書館に勤務せし時期ありと記憶す。僕もまた当時関係したる東亜同文会より英語教師たる人材の推挙を求められし時，君の名をあげて「非常識」を憫笑されし記憶あり。韓国の独立を迎うるに及んではじめて君も白日の下，晴れて京城大学英文科主任教授たるの報あり，やがて渡米のため往復の途次東京にも立ち寄りて，上田勤とともに久濶を叙せしこと両三回に及べり。韓国における動乱時の出来事，あるいは渡米中かねて私淑せるリチャーズの講筵に列したる感激等を親しく聞きしはなお昨日の如き思いあり。君の逝去のことを聞きしは，まことに思いもかけざりし異郷ストラットフォードの，沙翁記念劇場

前の芝生においてなり。時は一九六三年夏，僕テンペストのマチネーを見，外に出づるに若き友人児玉久雄ありて，韓国の同学という李某君を紹介す。ともに同地にありしアラダイス・ニコルがシェイクスピア・インスティテュートの研究員たり。英語にて雑談のうち同君が京城大学英文科の出身と聞き，敦河君の健否を訊ねて，はからずも君が同年はじめに長逝したる旨を聞知す。若き李君は多年敦河君の知遇を受けしのみならず，血縁つづきなれば君の家庭にもしばしば出入したりといえば，虚を伝うべしとも思われず，所がらもありて僕の長嘆も特に深きものあり，はじめて志を得て，居ること多年ならずして逝きし友を思うの情に堪えざりしを記憶す。

　高見がことは多くの人の知れるところなればここには割愛せむ。以上数えて同学の友の逝きし者九人なり。他に消息を聞かざること少くとも二十余年なるもの四人，恐るらくはこの大半はすでに他界せし者ならむか。存命の明らかなる者僕を加えて十二人は，三々伍々各地に散在して，時に孜々たりといえどもおおむね碌々として還暦を迎え，または迎えむとするを如何せむ。

　恩師市河先生八十の賀を迎えられむとするにあたり，先生の主宰される語学教育研究所，一書を編まむとし，僕にも一文の起草を求む。応ずるに亡友らが上を綴って以てこれにかえむこと，先生に対しはなはだ非礼なるに似たり。僕自身この稿の半にしてその感に堪えず，筆を絶たんとせしことも数次なりし

が，また翻って考うれば，この機を得て先生の学恩に列なる面々を偲ぶとともに，亡友らが権を棄てたる余寿の悉くを集めて先生の上に積むを得ばとの願いもまた油然として生ずるを覚ゆ。すなわち敢て文をつづけて，今辛うじてここに成る。蕪文救うべからずといえども，献じて衷心より先生の永遠の長寿息災を祈り奉る。

≪追記≫　本稿を送りし後，さらに上記十二人中の一人，福島宗佐君が昭和四十一年一月二十七日，郷里山口県にて長逝せし旨の悲報に接す。君は戦後長く下関市教育長を勤め，最近閑地につきし由の挨拶を受けしばかりなり。吾人の陣営うたた寂寞を加えしを嘆ずるのみ。

（東京大学教授）

一ロシア語教師の憂鬱

木　村　彰　一

　早いもので，わたくしがロシア語の教師になってから，いつの間にか四半世紀の年月が経ってしまいました。教壇に立って五年めごろからは，必要に迫られて，ロシア文学や，やや高級な語学の講義めいたこともはじめ，それがいまに及んでいるわけですけれども，初等ないし中等ていどのいわゆる《語学》の授業も，ときに断絶はあっても，だいたい現在まで，しかもかなりの情熱をもってつづけてきました。しかしそれにもかかわらず，わたくしはいまだにロシア語を教える専門家という気がせず，教室へ出るたびに，自分ははたして語学教師として適格かどうか，という疑問になやまされているありさまです。

　こうした自信のなさは，ひとつにはわたくしが若いときに，しかるべき学校の教室で，正規のロシア語の授業を受けたことがないという事情からきているのかもしれません。わたくしは旧制高等学校ではおもにドイツ語をやり，大学では古代ギリシア語を少しばかり勉強しました。ロシア語をやり出したのは大学を卒業してからです。中学時代から好きだった Tolstoj や Dostoevskij の作品を原語で読みたいと思ったのと，ロシア語が現代の印欧語のなかで比較的よく archaic な特徴を保存し

ているために両古典語に対すると同じ種類の興味を感じたのが
おもな動機ですが，そのほかに，人のあまりやらない，そして
戦前の日本では（ちょうど Erasmus の時代のギリシア語がそ
うであったように）少なからず《うさんくさい》と思われてい
た語学をやるのだという，スリルのようなものもある程度手伝
っていたかと思います。とにかくはじめからロシア人の先生に
ついて3年ほど会話や作文を勉強していましたが，そのうちど
うしても学校で習いたいという気持がつよくなり，当時の東京
外国語学校の夜学の二年めに編入試験を受けてはいり，その年
の夏兵隊にとられるまで約1学期かよいました。（ついでなが
らあの夜学のたのしい雰囲気は，わたくしの若い時代の思い出
のうちいちばんなつかしいもののひとつで，いまだに忘れるこ
とができません。東京外国語学校が東京外国語大学になってか
ら夜学が廃止になったことは，いろいろ事情もあったこととは
思いますが，なんとも残念な気がします。）以上がわたくしの
ロシア語《歴》のすべてで，その後まもなく，はからずも故八
杉貞利先生のご推薦をいただいて人にロシア語を教えるように
なってからは，すべて独習によってどうにかこうにか責務を果
たしてこなくてはなりませんでした。

とはいえ，はじめて教壇に立ったとき，わたくしはわたくし
なりに，語学の授業はどうあるべきかということについてのイ
メージは持っていました。そのイメージというのは旧制高等学
校でドイツ語を教わったときに得たもので，わたくしはそれを

実地にこころみ，そしていまから四・五年まえまでは，どうにかこうにか《大過なく》やってきたつもりです。

　わたくしが旧制高等学校でおもにドイツ語を教えていただいたのは，げんざいドイツ語学者として令名の高い倉石五郎先生です。厳格をきわめた先生のご授業のいちばん大きな特色は，ご自分ではほとんどなにひとつお教えにならない，ということでした。指名された生徒が発音や訳をすこしでもちがえると，すぐに別の生徒をご指名になる，そうやって，一語もつまずかずに正確に読んで正確に訳せる者が出るまではご指名が少なくとも十人ぐらいまではつづく，それでも及第者がなければ，クラスの全員に対して宿題になさる，次回にその宿題に対する満足な答えが得られなければ更にその次の回まで宿題になさる，というふうでした。ですからたとえば spritzen と bespritzen とはどうちがうか，schön と hübsch とはどうちがうか，といったような問題について，クラスの全員が（これまた先生が全員に強制的にお買わせになった）Sanders-Wülfing の辞書をひいてこなければならない，という事態がほとんど毎回起きました。こうした状態が二年つづいて三年めにはいったとき，大学の法学部や経済学部への受験を希望する者どもが不安にかられて《反乱》を起こし，それが一週間の《授業放棄》というようなところまで発展したのをおぼえています。《反乱》がどのようにしておさまったかは記憶がありませんが，しかし先生は根本的な点ではどうやら一歩も譲歩はなさらなかったようです。後

年アメリカへ行きましたとき，大学生のあいだで，perfectionist
ということばが哲学や宗教学で使うのとはややちがった意味で
使われているのを耳にしましたが，倉石先生こそことばの完全
な意味において perfectionist でいらっしゃいました。若気の
いたりで，生徒一同，かげではずいぶん不平がましい口もきき
ましたが，しかしわたくしは現在，先生に教えていただいたこ
とを生涯の幸福のひとつに数えています。なぜなら，先生の痛
烈としか言いようのない訓練にたえぬいた者どもは，語学はな
によりもまず正確でなければならない，という考えを徹底的に
吹きこまれたからであり，また学問をする者にとって欠くこと
のできないこうした正確さへの趣味ともいうべきものは，若い
時代に身につけるのでなければもはや一生身につかないものと
思われるからです。

　まえにも申しましたように，人にロシア語を教える身分にな
ってから，わたくしは倉石先生のクラスで感得しえた自分の知
っているただひとつの外国語教授法，つまり何ひとつ教えず，
すべてを学習者に考えさせしらべさせ，教師はそれを監督する
だけ，という方法を教室で使い，そしてある程度成功したよう
に思っています。（もっとも，成功した，というのは，はじめ
は単なるわたくしの印象にすぎませんでしたが，少なくともわ
たくしの授業を受けた数人の諸君はあとでこの印象がまちがっ
ていなかったことを 保証してくれ ました。）しかしこうした成
功がもたらした語学教師としてのささやかな自負心は，四・五

年まえ，わが国の大学のカリキュラムの中でロシア語の占める位置が大きく変化していらい，もろくもくずれ去ってしまったのです。

　大きく変化した，というのは，ロシア語を学習させることについての，主として自然科学系の諸学部からの要望がつよくなった結果，東大その他の大学で，ロシア語がドイツ語やフランス語とならぶ位置を与えられたことを指します。このこと自体，われわれロシア語畑の者どもにとって歓迎すべき現象であることは言うまでもありません。もっともいまの学生諸君がいささかもうしろめたい気持などなしに（その反面またちょっとした陰謀に参加するにも似た緊張感やスリルもなしに），ドイツ語やフランス語を学ぶとまったく同じ気持でロシア語を学んでいるのを見ると，一種複雑な感慨におそわれることは事実ですが，それはともかくとして，東大だけでも毎年五百人前後の若い諸君がロシア語を学びはじめるという壮観をまのあたりに見ては，長いあいだ日の当たらない場所にいたわれわれが，それこそ「生ける驗あり」とばかり歓喜の思いを誘われるとしても，それはお分かりいただけると思います。けれどもまた，他方において，学生の急増と教師の定数不足とが，必然的に50人から60人もの大きなクラスの出現という結果を生むとなると，そう手放しでよろこんでばかりもおられず，ことにわたくし自身のばあいには，長年用いてきた方法がもはや役に立たないという困った事態にたちいたってしまいました。二・三人の子供

ならしつけもできますが, 一家の中にかりに十四・五人も子供がいては, もはやしつけそのものを放棄するしかありません。それと同じように教えるのではなく訓練しようとするわたくしの方法は, 50人, 60人ものクラスにはもはや適用することができないのです。なぜできないかは, 少しでも人に語学を教えたことのある人ならすぐに分かって下さるはずですが, 早い話が, 大人数のクラスでは教師はどうしても大声で叫ばなくてはならない, ところが周知のように叫ぶということは思索の大敵であり, 学生に自分で考えるくせをつけるには, 決して大きな声を出してはならない, あるばあいにはささやくような声ですべてが語られねばならない。そしてそれができなければもはやわたくしの理想とするような授業は行われがたいのです。語学のばあい小さなクラスと大きなクラスのちがいは本質的なもので, 学生の数がある限度（たとえば20名）を越すと授業はむしろ時間の浪費にすぎなくなる, したがってもしどうしても多人数のクラスを解消できないなら, 大学はむしろ語学の授業をラジオその他のマス・メディアにゆだねて, みずからはもっと有用なほかの仕事に専念するにしくはない, というのがわたくしの実感です。

　わたくしはいまでも, 外国語は若い人びとを知的に訓練するための最良の手段のひとつであり, したがって人間形成を目標とする大学の一般教養コースのカリキュラムに欠くことのできない科目であると信じています。もしこの考えが正しいなら,

語学の授業をして効果あらしめるためには少くともかって旧制高等学校にみられた程度の小クラス制にできるだけ早くもどるべきであり，もしまた以上のような考えがすでに過去の遺物と化してしまったのなら，外国語の授業のありかたに関して新しい時代に即した理念と方法とがすみやかに樹立されるべきものでありましょう。道は二つにひとつしかないと思います。

　もっとも，これはいうまでもなく学制が新制にきりかわって以来，大学の外国語教授者の方がた全体の悩みでもあったはずです。ロシア語の教師がいままで知らなかったこういう高級な（？）悩みを悩むようになったのは，ロシア語がわが国の大学においてはじめて完全な市民権を獲得した証拠として，むしろよろこんでしかるべきことかもしれません。

（東京大学教授）

英語界の三不思議

附・真の Wonder

西　村　　稠

　数十年も英語界で暮して来た私にとって，いつも気になることがいろいろあるが，特に，次の三つの点は不思議という外はない。

　ここで三不思議というのは，"The Seven Wonders of the World" の wonders ではなく，three absurdities と呼んだ方がよいかもしれない。では，その absurdity とは何か。

　第一は，日本の英語研究者の間には phonetics の研究が非常に盛んで，微に入り細を穿つ式の詮索が行われているが，実際の会話や講演になると，相手の言うことは判らず，英語で何か言おうとすると，しどろもどろで，しばしば用を弁じない例が少なくないことである。そういう教師に教わる学生にいたっては，その弊害が一層甚しく，卑近なことも言えないのに，発音記号だけはよく知っているという有様である。発音記号にしても，検定教科書から辞書・参考書にいたるまでジョーンズ式一色というのも妙である。戦前から，市河博士など簡易化した発音記号を提案し，Fries などもタイプライターで間に合うような記号を使っている，ということであるが，それが一向顧られない。

第二の absurdity とは，phonetics に劣らず，英文法研究が盛んで，その専門書から初歩の学習書まで，文法色の強いものが毎年新学期になると，店頭をにぎわしているが，英語を書く訓練が教師自身にも生徒にも欠けていることである。高等学校では，大学入試の準備として文法が重視され，教師は自分の興味に委せて研究の結果を披瀝し，あまり人の知らないような新しい文法用語まで教えている例も珍しくないらしい。生徒は一応これに感心はするだろうが，簡単なことを英語で書かせてみると，誤謬百出，ほとんど英文の体をなしていない，という有様である。

第三のabsurdity は読み方の教授である。大学の教養課程の教科書は殆んど文学作品で，随筆や論文の抜萃，しかも百ページ内外の小冊子に限られている。こんなこまぎれに興味を感ずる学生もあろうが，真の読書力が果してこれで養えるかどうか問題である。恐らく新聞を読む力もつかないであろう。そういう学生が進んで英文科にはいったとしたらどうであろうか。英文科では，他のことはともかく，ほとんど例外なく Versification を教えている。それで詩の meter や rhyme を scan することができても，詩が判るものではなく，理屈だけで詩を読めば ding-dong になって，かえって滑稽であり，有害でさえある。そういう理屈を教える前に，英米の専門家のレコードでもたびたび聞かせた方が，どれだけ詩の理解力や鑑賞力を養う助けになるかわからない。英語界がこんな有様であるのにひき

かえて，一歩外へ出ると，かなり様子が違っているのは注目に値する。

　戦後交通機関が発達し，日本と外国との文化の交流が盛んになるにつれて，英語学習者はふえるばかりであって，学界はもとより，政界，実業界などには，現実の要求から，ラジオ・テレビの語学講座を聞き，或は相当の年輩の人々でも個人教授を受けている例が少なくない。こういう人々は phonetics や文法には無関心な代りに，生きた英語に耳を傾け，誤りを気にしないで話しまた書き，必要とするものを読むという風である。戦後招かれて海外の大学で，講義をしたり研究をしたりしているのはむしろ語学の専門家でない人に多く，各種の国際会議に出る人も年を追ってふえている。

　外国語学習において，「聞く，話す」ということが如何に重要か，ということは，今でこそ常識になっているが，戦前は冷笑の的であった。ところが，この冷笑を眼中におかない人もあって，話すことによって英語を身につけた人が方々にいた。そういう人々の中に一人の変った人物がいた。それは去る1月29日惜しくも他界した江本少佐である。そして，同じ不思議でも，彼の場合は，真の不思議（wonder）である。

　私が江本少佐を知ったのは，彼が研究所の研究員になってからである。当時われわれは彼を江本少佐とよび，外人は Major Emoto とよんでいたが，その後応召して，終戦の頃は中佐であったということであるが，昔からの「少佐」が私にはなじみ

深い。昔の陸軍の学校では，海軍ほどではなかったらしいが，とにかく，戦史や戦術や外国事情を研究するために，外国語教育がかなり行われていたという。しかし当時の世間の風潮と変らず，話すことよりも読むことに重点が置かれたようである。ところが，江本少佐は自ら聞いたり話したりすることに精進し，独自の学習法を考え出したものと見え，その方法で独仏語にも英語と同じように上達したという。聞く話す，ということの重要性を軍の主脳者がさとったためかどうか知らないが，大阪の中外商業学校の配属将校であった彼は，昭和の初め頃市ケ谷の陸軍士官学校教官に任命された。研究所に関係するようになったのはそれからである。英語を話すことに興味のあった彼が当時東京高等師範学校にいた故寺西武夫君と意気投合したのはよく知られている。彼はその後退役して，横浜専門学校（今の神奈川大学）で英語を教えるようになると，田園調布あたりに引越して来た。彼の住いは私の家から電車で数十分の近距離にあったばかりではなく，私の勤めていた横浜高等商業学校（今の国立横浜大学）と彼の学校は近く，研究所の会合でも度々顔を合せたが，私的な交際をするまでにはならなかった。一つには，彼は学生でも同僚でもかまわず，英語のわかる者には英語を話し，或る人が彼を訪ねたところ，いきなり，Did you find your way here easily? と挨拶されて面くらったという噂を聞いていたし，その上，彼の英語が極めて速口で，外人の間では「machine gun のように話す」と言われていた位であ

ったためである。昔島田三郎の雄弁は有名で，流石の議会の速記者もしばしば困ったということであるが，江本少佐の英語の雄弁は優にこれに匹敵した。

彼が英語教師になったきっかけは，前に述べた商業学校の配属将校になったことであったらしい。彼は直情径行の人で，軍人らしく学生に対して厳格であった。当時この学校は学生が乱暴なことで有名であったため，万一の場合に備えて，彼は毎日下着を改めて登校し，寸毫も容赦なく，悪童どもを訓練した。その結果，学生の規律がよくなり，軍事教練では全国の模範校になって表彰されたり，映画にまでなった。そのうちに，軍事教練の傍ら，英語教育を手伝うようになったようである。

彼は世間で誤解されていたように，英語を話すことだけに関心があったわけではなく，寺西君によると，読書範囲もかなり広かったらしく，彼の話題は多方面にわたっていた そ う で あ る。あまり英語は書かなかったらしいが，英文の著書も３冊ある。そして教師としては，単に日常会話を教えるだけで満足せず，教育という面をかなり重視していたようである。

彼はさきの大戦が起こると，函館俘虜収容所長になった。ここには，主にイギリス系の俘虜が入れられていたが，いつも日本側とのいざこざが絶えなかったので，英語の達者な彼が任命されることになったものと思う。彼が着任してからは，俘虜との意志の疎通ができただけではなく，厳にジェネバ条約を実行し，苛酷な取扱いが一つも無かったために，俘虜たちは満足し

たそうである。

　敗戦後，彼は戦犯容疑で起訴されたが，横浜にできた軍事法廷に，弁護士も連れず単身出かけて行って，起訴の各条項について，一々明白に答弁をしたために，無罪放免になって即日帰されたという。

　英国の *Guardian* の特派員として30年以上も日本にいたTiltman 氏が，戦後再び日本に来ることになった時，かって俘虜収容所で彼の世話になった人々に頼まれて，ぜひ江本少佐に礼を言いたい，という記事が *Asahi Evening News* に出たので，私はその切抜きを彼に送ったことがある。

　彼のような例はそう多くはないであろうし，また普通の人にはちょっと真似はできないが，彼の英語学習法には，英語教師にとって参考になる点があると思う。近頃英語教師の再訓練と称して，夏休などに数十人の教師を合宿させ，英語ばかり使わせる講習会が方々で催される。たしかに，これは良い方法に違いないが，何しろ人数と日数が限られているから，その効果は知れたものである。ところが，もし中学・高校の英語教師が一人でも多く，江本流に，教室では努めて英語を使うとしたらどうであろう。もちろん，会話だけではなく，口頭作文とか，英語での説明といったようなことをもっと盛んにやるのである。恐らくこれによって，一層生徒の力がつくだけではなく，教師自身英語を話すことが非常に楽になるに違いない。江本少佐に共鳴した寺西君は，その方法を実行した結果，同様の経験をし

たということであるが，もっともである。

（青山学院大学前教授）

あ と が き

　本書は本年2月に80回のご誕生日を迎えられた市河三喜先生に献げるための記念祝賀出版の一つとして，企画編集されたものである。

　市河先生のご履歴や業績については，昭和29年研究社発行の『市河博士還暦祝賀論文集第六輯』の巻末に詳細な記述があるので，ここでは繰り返えすことをひかえて，ごくあらましを摘記することにとどめる。市河先生は1886年（明治19年）2月18日に東京下谷に誕生され，当時の東京府立尋常中学校（後の東京府立一中，今の日比谷高校の前身），第一高等学校を経て東京帝国大学の言語学科に入学，1909年（明治42年）に同科を恩賜銀時計を受けて卒業された。2ケ年余の外遊は主としてイギリスで研究を積まれ，帰国後，母校に職を奉じられた。爾来30余年の間，同大学の英吉利語学，英吉利文学の教授として，英文法の画期的な名著を初め幾多の著書，論文によってつねに斯界を指導されるとともに，他方また，鋭意子弟の育成にあたられ，多くの優れた英語学者や英文学者を世に送られたことは周知の通りである。その間，先生は「日本英文学会」，「日本シェイクスピア学会」，「小泉八雲記念館」などを創設され，さらに1939年(昭和14年)以後は学士院会員として広くわが国学術の進展のために尽瘁されている。とくに，われわれが先生に対して深甚の敬意と景仰の念を禁じえないのは，先生の学問に対する熱意が今もなおきわめて旺盛であることである。そのもっとも著しい事例は数年前から嶺卓二教授の協力を得て始められたシェイクスピア作品の注釈という業績に見ることができる。シェイクスピアは先生の学問の一つの中心であって，ことに 1916 年

（大正5年）に『シェイクスピア研究書目』という項目が著作年表に見えており，作品の注釈としては1921年（大正10年）の *King Lear* (Ed. with Introduction and Notes. Kenkyusha English Classics) が最初で，以後十数冊出版されている。今回のお仕事は，その継続として取り上げられたもので，これは恐らく先生のもっとも円熟した学問の結集とみてよいであろう。老来いよいよご壮健にお見受けする先生ではあるが，さらに一層健康に留意されて，この大事業を完成されるように心からお祈りする次第である。

　ここで，先生と語学教育研究所との関係を簡単に述べておきたい。1923年(大正11年)の春，ハロルド・E.パーマ氏が文部省顧問として来朝することになったとき，文部省によって任命された5名の委員の一人として，市河先生は神戸まで同氏を出迎えられたのが，先生と当研究所との縁の初めであった。その翌1923年（大正12年）文部省の中に英語教授研究所（当研究所前身）が創立され，パーマ氏が初代の所長になったとき，先生は他の4名の委員とともに研究所顧問になられた。1937年（昭和12年），桜井錠二博士が理事長を辞任されるに当たり，先生はその後を襲って理事長に就任され，ついで1939年（昭和14年）には，石川林四郎所長の永眠に伴い，所長も兼ねられたが，これは1956年（昭和31年）に辞任されて，現在は理事長として研究所の発展のために尽力されている。先生の所長在任の時期はあたかも第二次世界大戦の前後十五，六年にわたっていて，わが国の英語教育界にとっては未曾有の苦難の時期であり，当研究所もまたその存続が危ぶまれる状態であったので，局に当たられた市河先生のご心労はさこそと推察される。幸いにして，この難局を切り抜け戦争による傷手から完全に復興することができたのは，ひとえに先生の日頃のご人格と学徳の賜物である。

　以上述べたような，わが国の学問・文化につくされた先生の

不朽のご功績に対して1959年（昭和34年）には文化功労賞が，また1964年（昭和39年）には勲二等旭日重光章が贈られた。

　さて，本書に収めた38篇は市河先生とお親しいかたがた及び，語学教育研究所を通して関係のあるかたがたに，「明治百年と語学」に関連のある内容ということでお願いして寄稿していただいた随筆で，その中の2篇は語学教育研究所大会における講演に加筆していただいたものである。

　随筆の内容は各人各様で，これを分類することははなはだ困難であるが，かりに次の四項目に大別してみた。

(1)　語学の一般的問題に関するもの

(2)　言語の特殊な面，とくに，日本語と外国語に関するもの

(3)　わが国の語学教育または文化一般に功労のあった外国人に関するもの

(4)　語学修得・語学教育に関する個人的経験を扱ったもの

　各項目の内部では，内容的に関連のあるものをまとめたり，比較的一般的な性質のものを特殊的なものの前に出すなどの方針をとったが，順序不同で配列の当をえないものも少なくないのではないかと怖れる。この点，および上記四項目への分類の妥当を欠くものなど一切の不備については執筆者ならびに読者の寛恕を乞いたい。なお，送りがな，句読点などはすべてそれぞれの原稿のままにしてあえて統一しなかった。

　本書はこれと同じ記念出版物の *Collected Writings of Sanki Ichikawa* とともに語学教育研究所の発案に基づき下記の委員が企画編集した。

編集委員　　所長　石橋幸太郎　　中島文雄

　　　　　　　　　　福田陸太郎　　小川芳男

　　　　　　　　　　皆川三郎　　　上野景福

昭和41年2月

【新装版】

随筆集 日本人と外国語

1979 年 4 月 20 日　第 1 版第 1 刷発行
2023 年 8 月 26 日　新装版第 1 刷発行

編　者　　一般財団法人　語学教育研究所
発行者　　武村哲司
印刷所　　日之出印刷株式会社

発行所　　株式会社　開　拓　社

〒112-0013 東京都文京区音羽1-22-16
電話　（03）5395-7101（代表）
振替　00160-8-39587
http://www.kaitakusha.co.jp